Gianluca Aprile

Alma Edizioni
Firenze

Direzione editoriale: **Ciro Massimo Naddeo**

Redazione: **Carlo Guastalla** e **Chiara Sandri**

Progetto grafico e impaginazione: **Andrea Caponecchia**

Progetto copertina: **Sergio Segoloni**

Disegno Copertina: **Thelma Alvarez-Lobos** e **Sergio Segoloni**

Illustrazioni: **Marco Barone**

Printed in Italy
ISBN: 978-88-6182-045-6

Prima edizione: luglio 2008

Alma Edizioni
Viale dei Cadorna, 44
50129 Firenze
tel. +39 055476644
fax +39 055473531
alma@almaedizioni.it
www.almaedizioni.it

Indice

Introduzione

Italiano per modo di dire

Non sempre quando si capiscono le singole parole che compongono una frase si comprende il senso reale della frase stessa. Il significato di *"Michele si è bevuto il cervello"* non è uguale alla somma dei significati delle singole parole, a meno che non ci si voglia riferire alla descrizione di una scena di un film splatter in cui il protagonista, di nome Michele, beve il suo cervello. Nell'uso comune la frase significa *"Michele è diventato stupido e si comporta in maniera illogica"*. La frase *bersi il cervello* è cioè un modo di dire: una frase composta da parole il cui senso non corrisponde alla somma del significato solito dei suoi componenti.
Si può dire che i modi di dire siano delle frasi istituzionalizzate caratterizzate da un'unità semantica, che vanno quindi studiate in quanto somma e apprese come un tutto indissolubile.
Spesso i modi di dire utilizzano delle immagini figurate che hanno radici nel linguaggio poetico, nella tradizione, nella storia, nella religione, nella letteratura, fino ad arrivare al cinema e alla pubblicità. Attraverso i modi di dire si può, da un punto di vista ricettivo, comprendere l'identità di una società e, dal punto di vista della produzione, migliorare la propria competenza comunicativa imparando ad utilizzare delle forme adeguate sotto l'aspetto pragmatico: saper usare il modo di dire giusto al momento opportuno può cambiare l'efficacia di una partecipazione ad una discussione.
Già i filosofi greci pensavano che i proverbi e i modi di dire fossero i modelli linguistici attraverso i quali gli uomini tramandavano la lingua degli dei. Aristotele riteneva addirittura che nei proverbi e nei modi di dire si esprimesse la sapienza dell'antica filosofia. ***Italiano per modo di dire***, più modestamente, vuole colmare una lacuna nella didattica dell'italiano come lingua straniera e dare una risposta agli studenti più curiosi.

Struttura del libro

Italiano per modo di dire è strutturato in 14 capitoli tematici, in base al campo semantico di riferimento. In alcuni casi i capitoli sono suddivisi in paragrafi. Ogni capitolo e ogni paragrafo iniziano con delle attività il cui obiettivo è ricostruire e fissare i modi di dire in oggetto. Attraverso un percorso graduale i modi di dire vengono spiegati sia dal punto di vista etimologico che culturale. Tutti i capitoli a parte il primo si concludono con un cruciverba il cui obiettivo è riassumere e rivedere i modi di dire studiati.

Modi di dire e proverbi

Si è cercato, per quanto possibile, di distinguere tra modi di dire e proverbi. Definire questa differenza non è facile; in modo schematico possiamo affermare che nel proverbio è sempre sottinteso un principio didattico e morale, un avvertimento, un consiglio o una massima che hanno origine dall'esperienza. Per questo il proverbio è chiamato anche "sapienza dei popoli".

A differenza del proverbio, il modo di dire è nella maggior parte delle volte un "paragone accorciato", una metafora semplificata, per esempio: *essere lento come una lumaca* diventa *essere una lumaca.*

I proverbi vengono affrontati quindi in modo differente, all'interno di speciali box che li distinguono chiaramente dai modi di dire.

A chi si rivolge il libro

Italiano per modo di dire è rivolto agli insegnanti e agli studenti d'italiano di livello elementare, intermedio e avanzato. Per ogni esercizio è indicato il livello di difficoltà, secondo la scala del Quadro Comune Europeo di riferimento per le lingue.

A2 = ●○○○ B1 = ●●○○ B2 = ●●●○ C1 = ●●●●

Come usare il libro

Il libro può essere usato come materiale di approfondimento socio-culturale dei corsi di lingua, sia in classe sia dallo studente in autoapprendimento.

Per chi studia da solo si consiglia di seguire l'ordine delle attività, almeno nei primi capitoli, in modo da familiarizzare con la struttura dell'opera.

In classe con l'insegnante, ogni singolo capitolo e ogni singolo argomento può essere trattato separatamente.

L'autore

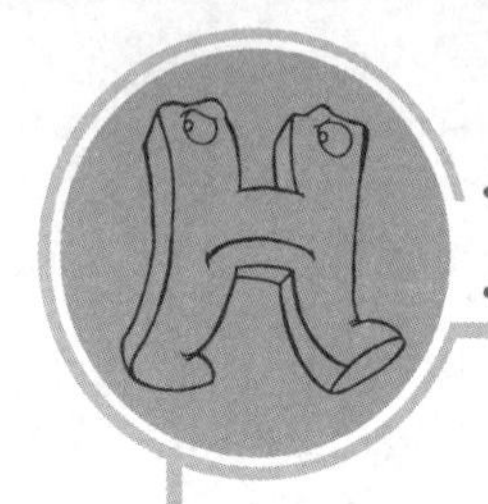

Per iniziare... le lettere

1 Completa i modi di dire con le parole della lista.

un'acca **imparare** **morta** **puntini** **un'acca** **zeta**

1. "Non capire ____________" significa non capire niente.
2. "Dalla A alla ____________" significa dall'inizio alla fine.
3. "Mettere i ____________ sulle i" significa precisare, fare chiarezza.
4. "____________ l'abc" significa imparare le regole più elementari di qualcosa.
5. "Non valere ____________" significa non avere nessun valore.
6. "Restare lettera ____________" si usa nei confronti di qualcosa che non ha effetto, quando un proposito o un consiglio non viene applicato.

2 Completa le frasi con i modi di dire dell'esercizio 1 facendo le modifiche necessarie, come nell'esempio.

1. Perché dici che il quadro *non vale un'acca*? Secondo me sei tu che ____________, questo quadro è un Picasso!
2. Non è cambiato niente! Tutto quello che ho detto e fatto purtroppo ____________.
3. Calmati! Prendi un bicchiere d'acqua e raccontami tutto ____________.
4. Voglio dirti una cosa, proprio per essere chiari e ____________: nel mio lavoro nessuno mi ha regalato niente.
5. No, Luca non va bene per questo lavoro. È arrivato in azienda da tre giorni e deve ancora ____________.

3 Leggi il testo e poi scegli tra vero o falso.

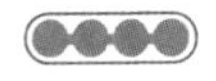

L'acca

L'identificazione di *h* con "niente" è dovuta al fatto che in latino la lettera *h*, in origine aspirata, pian piano si attenuò fino a perdere il valore di aspirazione nella lingua italiana. Oltre a *non capire un'acca* c'è pure *non valere un'acca*, cioè "non valere nulla". Questo modo di dire è presente fin dalle origini della lingua italiana. Come *acca* molte altre parole hanno acquistato il significato di "nulla". *Non valere una cicca*[1], *non valere un fico*[2] *secco, non valere una briciola*[3], ecc. Questi modi di dire sono molto antichi e nascono dai tentativi di definire la negazione assoluta. Nell'impossibilità di farlo, gli antichi per negare tutto prendevano come punto di riferimento un'unità o una cosa piccolissima e negavano questa. I latini, per esempio, per indicare il nulla dicevano *nihil* che deriva da *ne-hilum* che era il puntino nero in cima alle fave[4]. Per cui *nihil* significava "neppure un puntino".

a. In origine la lettera *h* aveva un suono aspirato.

☐ vero ☐ falso

b. Nella lingua italiana la lettera *h* ha un suono aspirato.

☐ vero ☐ falso

c. La lettera *h* con il significato di "niente" è molto recente.

☐ vero ☐ falso

d. La parola *nulla* deriva dall'espressione "neppure un puntino".

☐ vero ☐ falso

---

[1]**cicca:** quello che resta di una sigaretta fumata.
[2]**fico:** frutto, in questo caso usato come sinonimo di "nulla". In conseguenza della sua grande abbondanza nell'area del Mediterraneo, spesso questo frutto non veniva neppure venduto e si offriva gratuitamente.
[3]**briciola:** piccolissimo frammento di pane o di biscotto.
[4]**fave:** legumi verdi simili ai fagioli.

4 Metti la lettera h dove è grammaticalmente necessario. 

L'Acca in fuga

C'era una volta un'Acca.
Era una povera Acca da poco: valeva un'acca, e lo sapeva. Le compagne dicevano: "E così, saresti anche tu una lettera dell'alfabeto? Con quella faccia? Lo sai o non lo sai che nessuno ti pronuncia?"

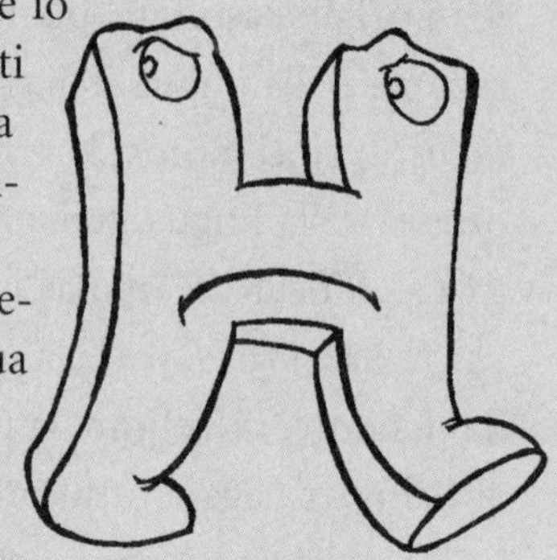

Lo sapeva, lo sapeva. Ma sapeva anche che all'estero ci sono paesi, e lingue, in cui l'acca fa la sua figura.
"Voglio andare in Germania, - pensava l'Acca, quando era più triste del solito. - Mi hanno detto che lassù le Acca sono importantissime".
Un giorno la fecero proprio arrabbiare. E lei mise le sue poche cose in un fagotto e si mise in viaggio con l'autostop. Successe un disastro. Le ciese, rimaste senz'acca, crollarono. I ciosci, diventati troppo leggeri, volarono, seminando giornali, birre, aranciate e granatine di giaccio ovunque. Dal cielo caddero i cerubini, levargli l'acca era come levargli le ali. Le ciavi non aprivano più, e ci era rimasto fuori casa dovette dormire all'aperto. Le citarre perdettero tutte le corde e non potevano più suonare. Non vi dico il Cianti, senz'acca, ce sapore disgustoso. Del resto non si poteva berlo, percé i biccieri sciattavano in mille pezzi. I ciodi si squagliavano sotto il martello peggio ce fosse stato burro. Alla fine l'Acca fu scoperta vicino al Brennero mentre tentava di entrare clandestinamente in Austria, percé non aveva il passaporto. Ma dovettero pregarla in ginoccio: "Resti con noi, senza di lei non riusciamo a pronunciare nemmeno il nome di Dante Aligieri. Guardi, qui c'è una petizione degli abitanti di Ciavari, ce le offrono una villa al mare. E questa è una lettera del capo stazione Ciusi-Cianciano". L'Acca era di buon cuore, ve l'o già detto. È rimasta, con gran sollievo del verbo chiacchierare e del pronome chicchessia. Ma bisogna trattarla con rispetto altrimenti scapperà di nuovo. Per me che sono miope, sarebbe gravissimo; con gli occiali senz'acca non ci vedo da qui a lì.

da *L'Acca in fuga* di Gianni Rodari in "Il libro degli errori", 1964, Einaudi

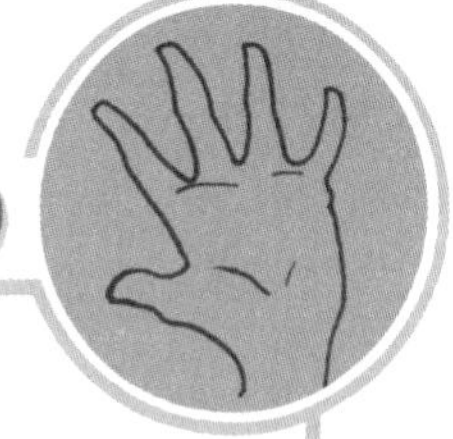

Il corpo umano

a. Le parti del corpo

1 Scrivi il nome giusto vicino alla parte del corpo corrispondente, come nell'esempio.

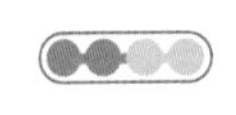

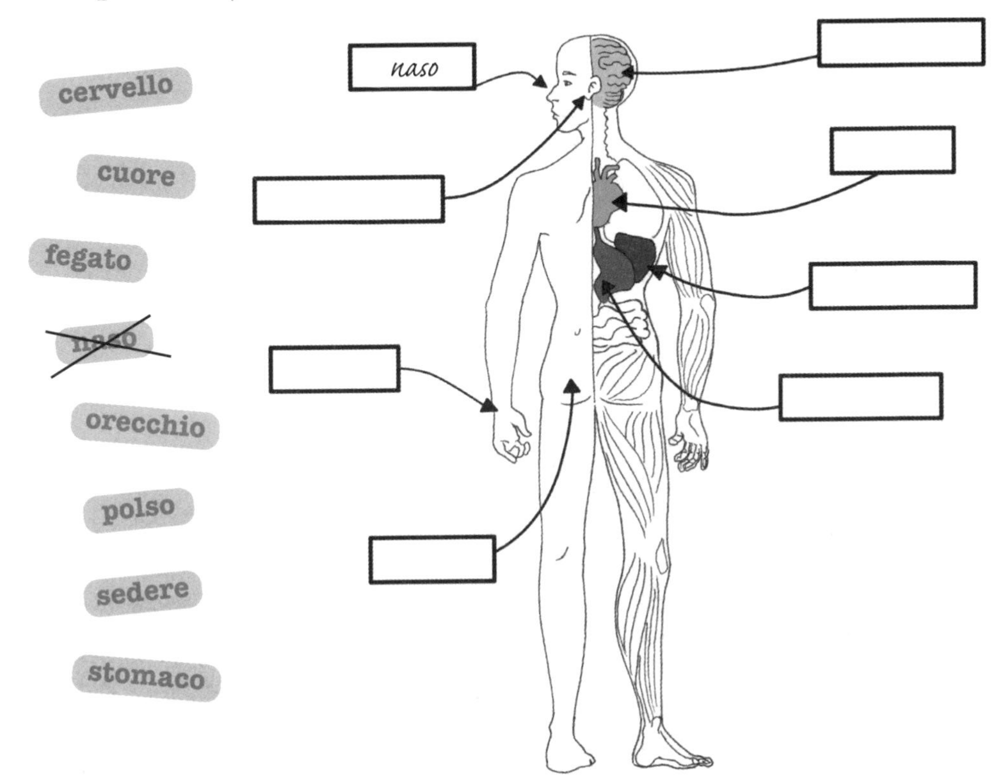

2 Completa i modi di dire con le parole della lista.

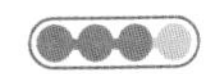

cervello | culo[1] | cuore | fegato | naso | orecchio | polso | stomaco

1. "Avere ________" significa essere sensibili nei confronti della musica.
2. "Avere ________" significa essere fortunati.
3. "Avere ________" significa avere intuito.
4. "Avere ________" significa essere capaci di sopportare cose sgradevoli.
5. "Avere ________" significa essere energici e decisivi.
6. "Avere ________" significa avere coraggio.
7. "Avere ________" significa essere generosi.
8. "Avere ________" significa essere intelligenti.

[1] **culo:** termine volgare per "sedere".

3 **Ricostruisci il testo che spiega l'origine del modo di dire Avere culo mettendo al posto giusto le parti della seconda colonna. Fa' attenzione alla punteggiatura!**

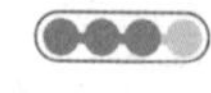

Avere culo significa (___)
Probabilmente l'origine sta nel fatto che (___) erano molto richiesti (___) che per poter avere rapporti sessuali con loro (___) Così, *avere un bel culo*, per un ragazzo, (___) più fortunata dei propri coetanei.

1. i giovani dal sedere bello
2. era indizio di una vita più facile e
3. li ricoprivano di regali.
4. avere molta fortuna.
5. dagli uomini potenti dell'antica Roma,

4 **Leggi il testo che spiega l'origine del modo di dire Avere fegato.**

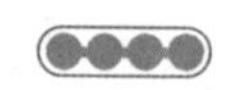

Dei, maghi e fegato

Di una persona coraggiosa si dice normalmente che "ha fegato". Il fegato infatti ha sempre rappresentato un simbolo di coraggio e di forza fisica. Per gli antichi greci era la sede della forza, della caparbietà e delle passioni, particolarmente dell'amore sensuale e dell'ira.
Sull'argomento esiste anche un mito, quello del titano Prometeo che ruba il fuoco agli dei per donarlo agli uomini. Per questo furto Prometeo viene legato ad una roccia e ogni giorno un avvoltoio gli divora il fegato, che ricresce di notte. Forse gli antichi greci già sapevano che il fegato è l'unico organo umano capace di rigenerarsi.
Nell'antica Roma, le viscere degli animali e soprattutto il fegato erano usati per leggere il futuro. Questa pratica chiamata "arte aruspicina" era di origine etrusca e gli aruspici, coloro che praticavano tale arte, furono consultati per tutta la durata dell'impero romano.
Gli aruspici erano vestiti con un mantello e un alto cappello conico, e tenevano in mano un bastone con l'estremità a spirale chiamata lituo. Dal loro abbigliamento deriva la figura del mago.

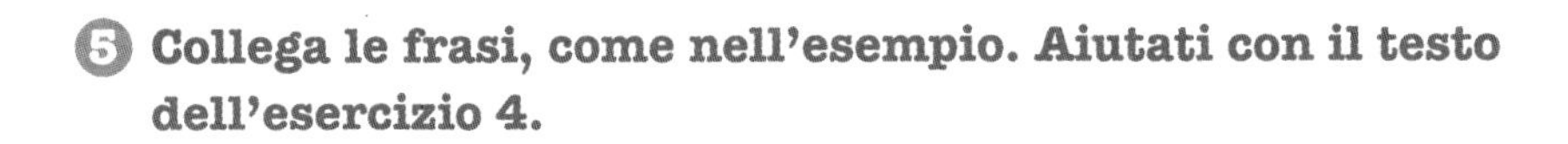

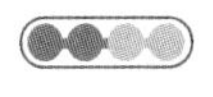

5 **Collega le frasi, come nell'esempio. Aiutati con il testo dell'esercizio 4.**

1. *Prometeo ruba* →	a. *il fuoco agli dei per regalarlo agli uomini.*
2. Gli dei legano Prometeo ad una roccia	b. era di origine etrusca.
3. Forse i greci avevano capito	c. e ogni giorno un avvoltoio gli divora il fegato.
4. Nell'antica Roma il fegato veniva usato	d. dagli aruspici che indossavano un mantello e un cappello conico.
5. Gli aruspici erano	e. per leggere il futuro.
6. L'arte aruspicina	f. che il fegato è l'unico organo capace di rigenerarsi.
7. Il vestito del mago deriva	g. indovini che leggevano il futuro con le viscere degli animali.

6 **Separa le parole e forma i modi di dire.**

1. AVERELACQUAALLAGOLA

____

2. ESSEREUNPUGNOINUNOCCHIO

____

3. INUNBATTERDOCCHIO

____

4. AVEREILCUOREINGOLA

____

5. AVEREUNBUCOALLOSTOMACO

____

6. AVEREUNOSCHELETRONELLARMADIO

____

2 Il corpo umano

7 A quali modi di dire dell'esercizio 6 si riferiscono questi disegni? 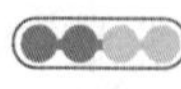

a. ______________________

b. ______________________

8 Riscrivi sotto al significato i modi di dire dell'esercizio 6. 

1. Si dice di una cosa che per il colore o la forma non si abbina al contesto.

____

2. Sinonimo di "subito", "immediatamente", "al più presto".

____

3. Significa "avere fame".

____

4. Significa "non avere il tempo di fare o finire delle cose importanti".

____

5. Si dice di qualcuno che ha un segreto di cui si vergogna.

____

6. Significa "avere paura".

____

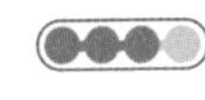

9 **Completa le frasi con i modi di dire dell'esercizio 6 facendo le modifiche necessarie.**

1. Tra due giorni ho l'esame, ma non ho fatto niente per tre mesi!
   ______________________________!
2. Secondo me quasi tutti gli uomini di potere ______________________________.
3. ● Marco, ma sei ancora a casa?
   ● Sì, scusa! Arrivo lì ______________________________
   ______________________________.
4. Io ______________________________!
   C'è niente in frigo?
5. Il maglione giallo sui pantaloni viola
   ______________________________.
6. Ieri siamo andati a vedere un film horror e per tutta la durata del film
   ______________________________.

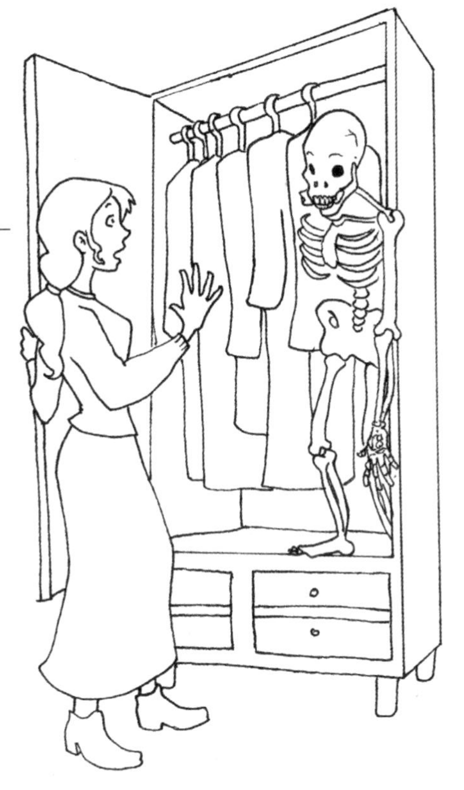

Il proverbio

Scegli la preposizione corretta.

*Mente sana **da/in** corpo sano.*

Per avere una formazione completa e armonica si devono unire l'educazione intellettuale e quella fisica.

b. La testa

1 Metti in ordine le parole e forma i modi di dire.

1. girare testa far la

___

2. una pallone fare un testa come

___

3. la perdere testa

___

4. testa montarsi la

___

5. una calda essere testa

___

6. in qualcosa mettersi testa

___

7. testa tenere

___

8. testa la scommetterci

___

2 A quali modi di dire dell'esercizio 1 si riferiscono questi disegni?

a. ___

b. ___

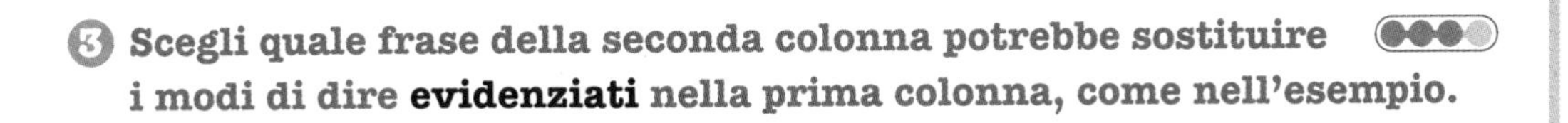

3 **Scegli quale frase della seconda colonna potrebbe sostituire i modi di dire evidenziati nella prima colonna, come nell'esempio.**

1. Francesca ***si è messa in testa*** che io sia innamorato di lei, ma per me è soltanto un'amica.
2. Nicola ***è una testa calda***. È meglio stargli lontano perché usa troppo le mani.
3. Giulia è una donna che ***fa girare la testa***, sono stordito dalla sua bellezza!
4. Quando ho visto il mio ragazzo che baciava la mia migliore amica ***ho perso la testa*** e ho cominciato a urlare.
5. Secondo me Mara ***si è montata la testa***. Spera di sposare un uomo ricco e vivere in California tra i divi di Hollywood.
6. Incredibile! Una squadra di dilettanti è riuscita a ***tenere testa*** alla nazionale di calcio e la partita è finita con un pareggio.
7. Basta! Mi ***hai fatto la testa come un pallone***.
8. Ma certo, ***ci scommetto la testa***!

a. fa innamorare
b. insegue fantasie impossibili
c. ho perso il controllo
d. hai frastornato con chiacchiere inutili
e. *si è convinta*
f. è una persona che litiga con troppa facilità
g. resistere
h. ne sono assolutamente sicuro

Il proverbio

Separa le parole che formano il proverbio.

COSAFATTACAPOHA

____

Una volta che è stata presa una decisione bisogna metterla in pratica. Quando una cosa è fatta non può essere disfatta.

c. Gli occhi

1 Scegli la parola corretta per completare i modi di dire. 

1. A quattr'*occhio/occhi*.
2. A ***occhio nudo/occhi nudi***.
3. Avere sott'*occhio/occhi*.
4. Alzare ***l'occhio/gli occhi*** al cielo.
5. Non credere ***al proprio occhio/ai propri occhi***.
6. Anche ***l'occhio vuole/gli occhi vogliono*** la sua parte.
7. A ***occhio/occhi*** e croce.
8. Aprire ***l'occhio/gli occhi***.

2 Scegli quali frasi della seconda colonna potrebbero sostituire i modi di dire evidenziati nella prima colonna, come nell'esempio.

1. Quando Paolo le ha chiesto di cambiare per la terza volta la prenotazione, Maria ***ha alzato gli occhi al cielo***.	**a.** a disposizione
2. Di notte, al buio, è possibile vedere ***a occhio nudo*** fino a 3000 stelle.	**b.** renditi conto della realtà
3. • Perché ti sei vestito così elegante? • Ho un colloquio di lavoro e ***anche l'occhio vuole la sua parte***.	**c.** più o meno/circa
4. Da qui al mare saranno ***a occhio e croce*** 2 Km.	**d.** senza strumenti ottici
5. • Ma quell'uomo in prima pagina sul giornale non è Luigi? • Hai ragione, ***non credo ai miei occhi***, è proprio lui!	**e.** *ha manifestato esasperazione*
6. ***Apri gli occhi***! Tuo marito ha una relazione segreta da molti anni.	**f.** anche l'estetica è importante
7. Noi due dobbiamo fare un discorso ***a quattr'occhi***.	**g.** di persona, in privato
8. Non mi ricordo se il 15 gennaio è venerdì o sabato, non ho il calendario ***sott'occhio***.	**h.** è sorprendente

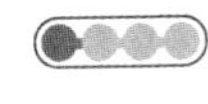

3 **A quali modi di dire dell'esercizio 1 si riferiscono questi disegni?**

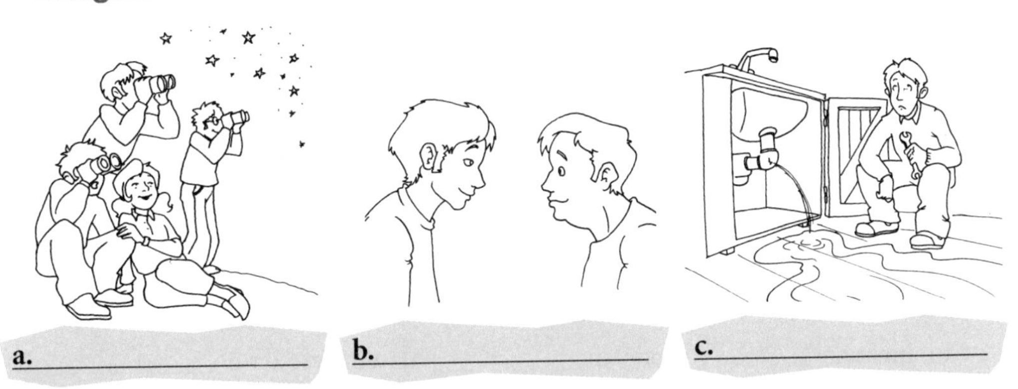

a. ______________________ b. ______________________ c. ______________________

4 **Inserisci le preposizioni della lista nel testo, come nell'esempio. Le preposizioni sono in ordine. Poi rispondi alla domanda.**

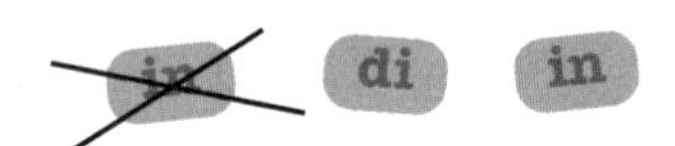

~~in~~ di in a da alla

In astronomia è un'espressione che indica le osservazioni condotte senza l'ausilio nessuno strumento, come telescopi o binocoli, ma solo mediante l'occhio umano. Si utilizza riferimento corpi e fenomeni celesti visibili chiunque, come i pianeti più vicini Terra, le stelle, alcune comete e alcuni sciami di meteore.

Di quale modo di dire dell'esercizio 1 parla il testo?

____

Il proverbio

Metti in ordine le parole che formano il proverbio.

terra *dei chi occhio ha ciechi* nella *signore un è un*

Nella terra ____

Chi ha scarse capacità e preparazione può emergere solo in un contesto di livello mediocre.

Il corpo umano 2

d. Il naso

1 Completa il testo con le parole della lista.

aperto | deluso | dire | gesto | naso | palmo | rotatorio | si chiama | sulla

Restare con un ___________ *di naso* significa rimanere ___________, insoddisfatto, ingannato. Questo modo di ___________ nasce forse da un ___________ di scherno che si fa appoggiando ___________ punta del ___________ il pollice tenendo il palmo ___________ e muovendo le dita in senso ___________. In Italia questo gesto ___________ "fare marameo".

2 Completa i modi di dire con le parole della lista.

a | all' | col | del | di | di | in | negli | per

1. Andare _______ lume _______ naso.
2. Prendere _______ il naso.
3. Stare _______ naso _______ aria.
4. Mettere il naso _______ affari _______ qualcuno.
5. Non vedere più _______ là _______ proprio naso.

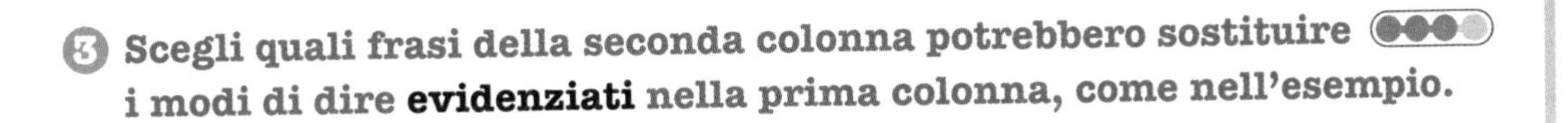

3 **Scegli quali frasi della seconda colonna potrebbero sostituire i modi di dire evidenziati nella prima colonna, come nell'esempio.**

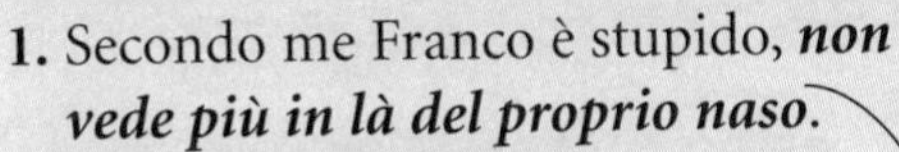

1. Secondo me Franco è stupido, ***non vede più in là del proprio naso***.	a. andare a intuito
2. C'è una nebbia incredibile. È meglio fermarsi piuttosto che ***andare a lume di naso***.	b. raggirare, ingannare
3. Non ti ho autorizzato a leggere la mia posta! Non ***mettere il naso nei miei affari***! Capito?	c. essere troppo curioso
4. Guarda dove vai, invece di ***stare col naso all'aria***!	d. essere distratto
5. Non mi faccio ***prendere per il naso*** da te! Ho capito benissimo che mi vuoi imbrogliare.	e. *ha un'intelligenza limitata*

Il proverbio

Metti in ordine le parole che formano il proverbio.

naso le hanno lungo bugie il

____

Le bugie non si possono nascondere e presto o tardi la verità viene scoperta.
Un esempio famoso ci viene da Pinocchio. Il famoso burattino di Carlo Collodi non può mentire facilmente perché ha il naso che si allunga quando non dice la verità.

e. La bocca

1 Scrivi sotto al significato i modi di dire della lista.

tenere la bocca cucita | **essere sulla bocca di tutti** | **non aprire bocca** | **rimanere a bocca aperta**

1. Essere sorpresi.

____

2. Essere un fatto o una storia conosciuta da tutti.

____

3. Rimanere in silenzio.

____

4. Mantenere un segreto.

____

2 Completa le frasi con i modi di dire dell'esercizio 1 facendo le modifiche necessarie.

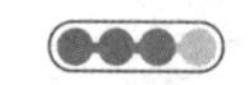

1. Giuro! (Io) ____________________ e manterrò il tuo segreto.
2. Ormai è inutile nasconderci, la nostra relazione ____________________.
3. C'è qualcosa che non va? (Tu) ____________________ per tutta la serata.
4. Quando ha visto il regalo ____________________ per la sorpresa.

Il proverbio

Separa le parole che formano il proverbio.

ACAVALDONATONONSIGUARDAINBOCCA

____

Non si devono fare apprezzamenti sui doni, qualunque sia il loro valore. Quello che ti danno gratis va sempre bene.

f. Il cervello

1 Metti in ordine le parole e forma i modi di dire.

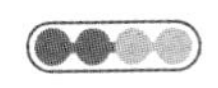

1. fuma cervello che il avere

____

2. da cervello avere un gallina

____

3. cervello il bersi

____

4. il cervello fare del lavaggio

____

5. neppure l'anticamera passa mi cervello del non per

____

6. di uscire cervello

____

2 A quali modi di dire dell'esercizio 1 fanno riferimento questi disegni?

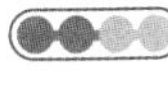

a. _______________

b. _______________

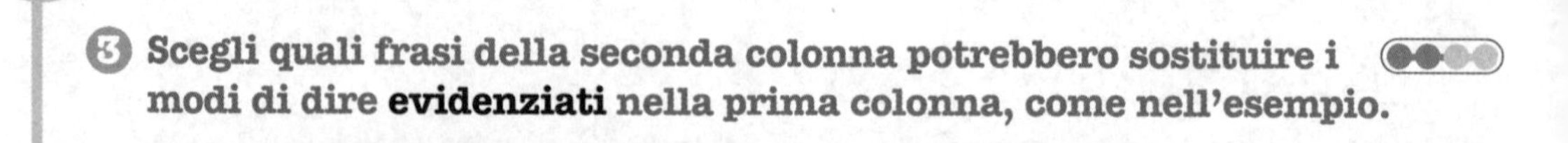

3 **Scegli quali frasi della seconda colonna potrebbero sostituire i modi di dire evidenziati nella prima colonna, come nell'esempio.**

1. Non voglio andare alla festa di Rino, ***non mi passa neppure per l'anticamera del cervello*** di rinunciare alla partita di calcio.	**a.** esercita una forte pressione psicologica
2. Ho studiato filosofia tutto il giorno e ora ***ho il cervello che fuma.***	**b.** sei diventato stupido
3. La televisione ***fa il lavaggio del cervello***, dovresti spegnerla e uscire un po'.	**c.** sono mentalmente molto stanco
4. Ma come, piove e fa freddo e tu vai al mare?! Allora ***ti sei bevuto il cervello.***	**d.** è stupido
5. È inutile che lo spieghi a Dario, non lo capirebbe perché ***ha un cervello da gallina.***	**e.** *non ho la minima intenzione*
6. Ettore ***è uscito di cervello***, va in giro vestito da Napoleone e dice di capire solo il francese.	**f.** è impazzito

2 Il corpo umano

Il proverbio

Scegli la spiegazione corretta per questo proverbio.

Chi dà retta al cervello degli altri butta via il suo.

a. È importante fidarsi sempre dell'opinione degli altri. ☐
b. Chi si fida delle opinioni degli altri perde la propria capacità di giudizio. ☐

g. La mano

1 Scegli la parola corretta per completare i modi di dire.

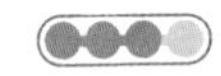

1. Metterci ***le mani / la mano*** sul fuoco.
2. Forzare ***le mani / la mano***.
3. Avere ***le mani / la mano*** in pasta.
4. Mettere ***le mani / la mano*** avanti.
5. ***Una mano / La mano*** lava l'altra.
6. Avere ***le mani bucate / la mano bucata***.
7. Stare con ***le mani / la mano*** in mano.
8. Dare ***una mano / le mani***.
9. Venire ***alle mani / alla mano***.
10. Lavarsene ***le mani / la mano***.

2 Inserisci nella canzone "Mani bucate" di Sergio Endrigo: sulle righe _______ la congiunzione anche o neanche; sulle righe .... le preposizioni articolate della lista.

dalle | nelle | per le | dalle

Non hai saputo
tenerti niente,
_______ un sorriso
sincero,
e avevi il mondo,
il mondo intero,
.... tue mani.
Tutto hai perduto,
_______ l'amore,
buttato via
.... tue mani,
mani bucate.
Non hai saputo
tenerti niente,
_______ un amico sincero.
Avevi tanto
e hai sempre dato
tutto a nessuno.
Tutto hai perduto,
_______ il mio cuore,
buttato via
.... tue mani,
mani bucate.
Ora lo sai
nessuno torna indietro
e io non sono più io.
È inutile che pensi a me.
Adesso piangi,
adesso chiedi
un po' di amore sincero.
Un po' d'amore
per il tuo cuore
solo e malato.
Non c'è nessuno
che ti dia un fiore,
né una mano
.... tue mani,
mani bucate.

3 Scrivi sotto al significato i modi di dire dell'esercizio 1. 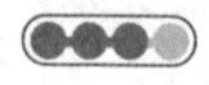

a. Cautelarsi, prendere misure preventive.

____

b. Decidere di non affrontare un problema, astenersi dal giudizio.

____

c. Saper agire nel modo giusto in un determinato ambiente, anche per interessi personali.

____

d. Oziare, far passare il tempo senza lavorare.

____

e. Aiutarsi reciprocamente per ottenere un vantaggio.

____

f. Spendere con molta facilità.

____

g. Picchiarsi, scontrarsi fisicamente con qualcuno.

____

h. Aiutare.

____

i. Costringere qualcuno ad agire contro la sua volontà.

____

l. Essere assolutamente sicuri di qualcosa o qualcuno.

____

4 A quale modo di dire dell'esercizio 1 fa riferimento questo disegno? 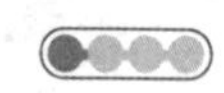

____

5 Leggi i testi. Di quali modi di dire dell'esercizio 1 spiegano l'origine?

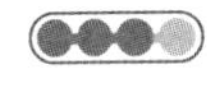

a. Questo modo di dire ha origini antichissime. Secondo la leggenda un giovane aristocratico romano, Muzio, durante l'assedio degli etruschi a Roma (508 a.C), cercò di uccidere il re Porsenna ma sbagliò persona ed assassinò il suo scrivano.
Il giovane, catturato e portato davanti al re, non esitò a dire: "*Volevo uccidere te. La mia mano ha sbagliato e ora la punisco per questo imperdonabile errore*". Poi mise la sua mano destra in un braciere. Da quel giorno il coraggioso giovane venne chiamato Muzio Scevola *(il mancino)*.

Il modo di dire è:

b. Già Platone usava questo modo di dire per affermare che se una persona vuole un favore da un'altra deve farne uno a sua volta.

Il modo di dire è:

c. È una metafora nata nel mondo dei fornai, dove chi prepara il pane manipola l'impasto con abilità.

Il modo di dire è:

d. Come ricorda Alessandro Manzoni ne "I promessi sposi", al tempo della rivoluzione francese, durante la carestia, "la gran massa popolare poté far prevalere a lungo il suo giudizio, e forzare, come colà (in Francia) si dice, la mano a quelli che facevano la legge".

Il modo di dire è:

e. Il modo di dire compare nel Vangelo, dove si racconta di quando Ponzio Pilato, governatore di Giudea, doveva decidere la sorte di Gesù, accusato dai sacerdoti e dal popolo. Dopo qualche timido tentativo di far ragionare la folla, "visto che non otteneva nulla, anzi che il tumulto cresceva sempre più, presa dell'acqua, si lavò le mani davanti alla folla: «Non sono responsabile, disse, di questo sangue; vedetevela voi!»." (*Matteo* 27, 25)

Il modo di dire è:

6 Completa le frasi con alcuni modi di dire dell'esercizio 1 facendo le modifiche necessarie.

1. Sta' attenta a Fabrizio! È un polemico. E ____________________ facilmente.
2. Cosa? Hai comprato una macchina nuova? E poi dici che sono io quella che ____________________?!
3. Quest'anno in campagna elettorale tutti i politici ____________________: "Niente miracoli, ci sarà la recessione".
4. A me non piace ____________________, devo avere sempre qualcosa da fare.
5. La fortuna ieri non ci ____________________. Perdere la partita in quel modo è stato davvero terribile!

Il proverbio

Scegli la spiegazione corretta per questo proverbio.

Gioco di mano, gioco di villano[1]

a. I comportamenti maneschi (nel senso di "violenti"), anche se fatti per scherzare, sono comunque maleducati. ☐
b. Giocare con le mani è una dimostrazione di grande abilità e intelligenza. ☐

[1]**villano:** abitante delle campagna. Questa figura, soprattutto nella cultura italiana pre-industriale, era spesso associata all'uomo scortese e privo di educazione.

Parole crociate

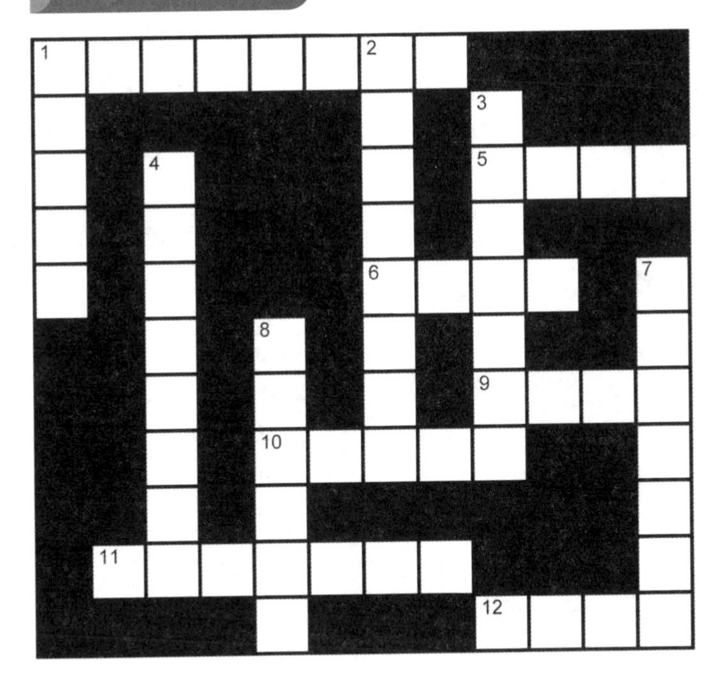

Orizzontali ▶

1. Ho il ____________ che mi fuma, basta! Andiamo al cinema!
5. Franca, non stare sempre con il naso all'____________! Guarda dove vai!
6. Non ce la farò mai a finire in tempo questo lavoro, ormai ho l'acqua alla ____________.
9. Non prendermi per il ____________ anche stavolta. Non mi fido!
10. Da qui al Duomo saranno a occhio e ____________ cinque minuti a piedi.
11. Da quando è diventato famoso, Luigi si è ____________ la testa.
12. Stasera si vedono le stelle a occhio ____________, è bellissimo!

Verticali ▼

1. Sei proprio una testa ____________, litighi con tutti.
2. Ada è molto cambiata da quando si è sposata. Secondo me il marito le ha fatto il ____________ del cervello!
3. Mi hai fatto una testa come un ____________! Basta! Ho capito!
4. Purtroppo sono stonato e non ho nemmeno ____________.
7. Certo che per fare quel lavoro bisogna proprio avere ____________, io non ci riuscirei!
8. Vengo anche io a fare shopping! Tu hai le mani ____________ e non mi fido a lasciarti da sola!

I vestiti

1 Metti in ordine le parole che formano i modi di dire, come nell'esempio. 

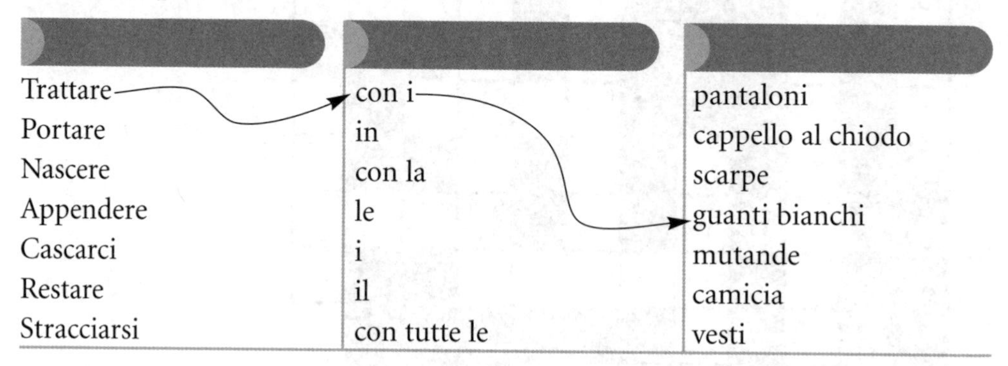

Trattare	con i	pantaloni
Portare	in	cappello al chiodo
Nascere	con la	scarpe
Appendere	le	guanti bianchi
Cascarci	i	mutande
Restare	il	camicia
Stracciarsi	con tutte le	vesti

2 A quali modi di dire dell'esercizio 1 corrispondono i seguenti disegni?

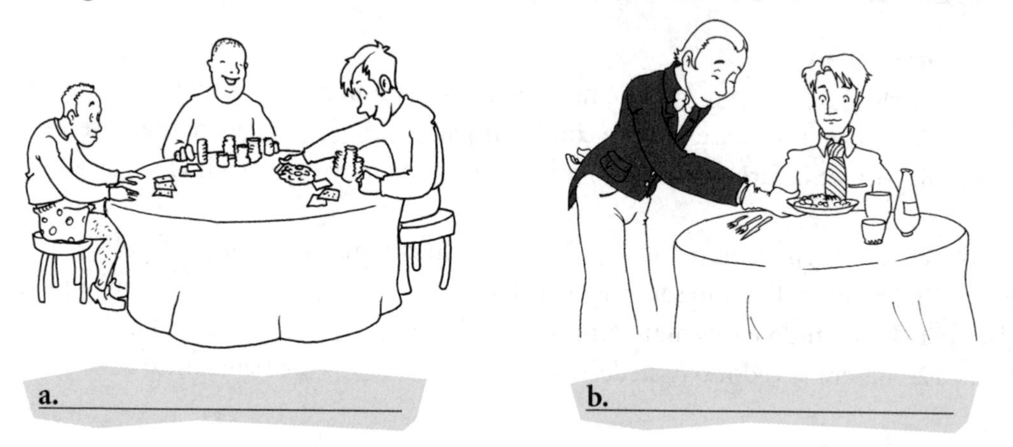

a. ______________________

b. ______________________

3 Leggi i testi. A quali modi di dire dell'esercizio 1 si riferiscono?

a. In senso figurato questo modo di dire significa "scandalizzarsi", "abbandonarsi alla disperazione in modo teatrale". L'espressione risale al Vangelo (*Matteo* 26, 65): Cristo prigioniero è condotto davanti al sommo sacerdote Caifa che gli chiede se è il figlio di Dio. La risposta affermativa è considerata dal sacerdote una bestemmia e per questo compie l'atto descritto nel modo di dire. Secondo la tradizione biblica infatti gli ebrei, di fronte ad un atteggiamento oltraggioso o blasfemo, reagivano in questo modo.

Il modo di dire è:

b. Questo modo di dire significa essere molto fortunati. L'indumento contenuto nell'espressione è la placenta in cui alcuni neonati sono ancora avvolti al momento della nascita. Questo evento è un simbolo molto antico di protezione divina.

Il modo di dire è:

4 Metti in ordine il testo che spiega l'origine dei modi di dire Essere un altro paio di maniche e Dare la mancia numerando i paragrafi.

2	di ricambio agli abiti, attaccate con nastri o bottoni, spesso sontuose, di stoffe riccamente decorate o dipinte, impreziosite da gioielli o foderate di pelliccia. I fidanzati
4	finiva e gli amanti iniziavano un'altra relazione allora si cambiavano anche le maniche. Da qui nasce la locuzione. Anche nei tornei le donne usavano togliere le maniche dall'abito per
6	dama all'amato ha acquistato il significato più ampio di dono, regalo, e oggi quello che si dà a chi presta un servizio.
5	regalarle, quale pegno d'amore, al cavaliere amato che le legava alle spalle. Proprio da questa usanza di fare "regalo di una manica" nasce il significato della parola *mancia*, dal francese *manche* = *manica*, che da manica regalata da una
1	L'origine di questo modo di dire risale all'uso simbolico medievale di scambiarsi un paio di maniche in pegno di fedeltà d'amore. Nel medioevo e in particolare tra il XIV e il XVI secolo si usavano maniche
3	si promettevano reciprocamente di portarle in segno del loro amore, allo stesso modo con cui si portava l'anello di fidanzamento. Quando però l'amore

Il proverbio

Scegli la spiegazione corretta per questo proverbio.

L'abito non fa il monaco.

a. Non bastano i segni esteriori a garantire la sostanza delle persone. ☐

b. L'estetica è molto importante e va curata con attenzione e precisione. ☐

5 Scegli il significato corretto di ogni modo di dire.

1. *Portare i pantaloni.*	a. Comandare, avere responsabilità e potere in famiglia. ☐ b. Avere sempre freddo. ☐ c. Essere un vero uomo. ☐
2. *Appendere il cappello al chiodo.*	a. Vestirsi in modo sportivo. ☐ b. Restare in un luogo per lungo tempo. ☐ c. Lasciare il posto dove si è nati. ☐
3. *Restare in mutande.*	a. Rimanere sorpresi da un evento eccezionale. ☐ b. Perdere tutti i propri soldi. ☐ c. Avere una relazione extraconiugale. ☐
4. *Trattare con i guanti bianchi.*	a. Trattare qualcuno in modo scortese. ☐ b. Salutare in modo molto formale. ☐ c. Trattare qualcuno con estremo rispetto. ☐
5. *Cascarci con tutte le scarpe.*	a. Essere distratti, comportarsi in modo inusuale. ☐ b. Fare un progetto molto fragile e precario. ☐ c. Credere ad una cosa non vera, cadere in un inganno. ☐
6. *Dare la mancia.*	a. Dare la mano sinistra in segno di saluto. ☐ b. Dare dei soldi in regalo per un servizio ricevuto. ☐ c. Dividere in parti uguali qualcosa con qualcuno. ☐
7. *Essere un altro paio di maniche.*	a. Essere una situazione differente rispetto ad un'altra. ☐ b. Essere più caldo rispetto a quello che ci si aspettava. ☐ c. Essere un gesto di fedeltà e di amore. ☐

6 Completa i dialoghi con alcuni modi di dire degli esercizi 1 e 5 facendo le modifiche necessarie.

1. ● Mario ____________________!
   ● Perché?
   ● Da quando lo conosco ha avuto sempre fortuna nella vita!
2. ● Secondo te c'è una relazione tra la telefonata misteriosa e la scomparsa di Anna?
   ● No, secondo me ____________________, e i due fatti non sono collegati.

3. ● Ma sei proprio sicuro di voler ______________________?
   ● Sì sì, non ho più intenzione di cambiare casa.
4. ● Ma come hai fatto a non capire che quello di Luca era uno scherzo?
   ● Non lo so… ______________________.
5. ● Veramente non so cosa fare ormai, sono scandalizzato!
   ● Il problema è che ora è un po' tardi per ______________________. Avresti dovuto svegliarti un po' prima.
6. ● ______________________: ho perso tutti i soldi giocando a poker.
   ● Potevi pensarci prima!
7. ● Possibile che devi decidere sempre tu tutto? In fondo sono tuo marito!
   ● Sì ma sono io che ______________________ in questa casa! Io sono l'unica che lavora e porta a casa i soldi.
8. ● L'albergo dove siamo andati in vacanza era bellissimo, il servizio ottimo e ci ______________________.
   ● Che bello, beati voi.

Parole crociate

Orizzontali ▶

3. Cascarci con tutte le ______________.
4. Essere un altro paio di ______________.
6. Appendere il ______________ al chiodo.
7. Trattare con i ______________ bianchi.

Verticali ▼

1. Nascere con la ______________.
2. Portare i ______________.
4. Restare in ______________.
5. Stracciarsi le ______________.

Gli animali

a. Il pesce

1 Collega i disegni ai modi di dire.

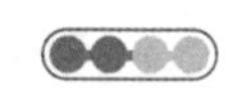

a.

b.

c.

1. Essere muto come un pesce

2. Trattare a pesci in faccia

3. Essere un pesce fuor d'acqua

4. Essere un pesce in barile

5. Buttarsi a pesce

d.

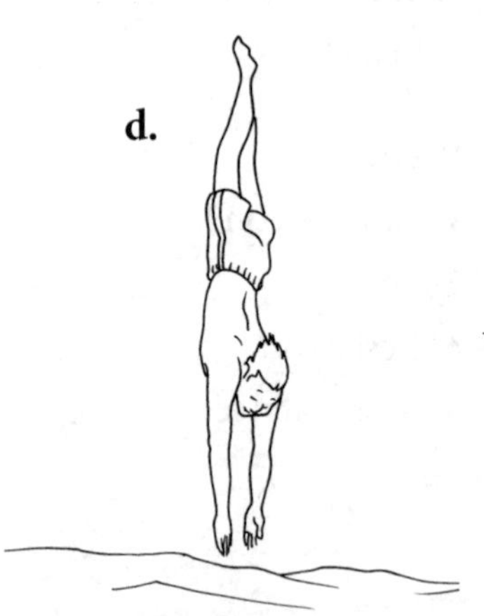

e.

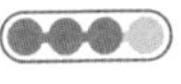

2 **Scrivi sotto al significato i modi di dire dell'esercizio 1.**

1. Fare qualcosa con entusiasmo ed energia.

____

2. Essere estraneo ad un ambiente.

____

3. Insultare, comportarsi in modo offensivo con qualcuno.

____

4. Non parlare, mantenere un segreto.

____

5. Fingere di non capire quello che succede.

____

I proverbi

Metti in ordine le parole che formano i proverbi.

1. pesce *testa* *dalla* *puzza* il

Il pesce _______________

2. pesce *piccolo* *quello* il *mangia* *grosso*

Il pesce _______________

3. chi *non* dorme *pesci* *piglia*

Chi dorme _______________

4. *è* *giorni* *il* l' *pesce:* *tre* *dopo* ospite *come* *puzza*

L'ospite _______________

3 Completa le frasi con le parole nella colonna di destra.
A quali proverbi dell'esercizio precedente si riferiscono? 

a. Non bisogna ______________ degli altri: restare ______________ degli amici può ______________. Il proverbio è:	**1.** troppo a lungo in casa **2.** approfittare dell'ospitalità **3.** risultare fastidioso
b. La corruzione ha ______________; gli insuccessi e ______________ dalle scelte ______________ posti di responsabilità. Il proverbio è:	**1.** i fallimenti dipendono **2.** sbagliate di chi ha **3.** origine dai vertici
c. La pigrizia non ______________ di ______________ alcun risultato. Il proverbio è:	**1.** permette **2.** raggiungere
d. I ______________ si impongono e sottomettono i ______________. Il proverbio è:	**1.** più deboli **2.** più forti

4 Completa il brano di letteratura con uno dei proverbi dell'esercizio precedente. 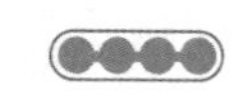

"Tale e quale come quegli altri ladri del Parlamento, che chiacchierano e chiacchierano fra di loro; ma ne sapete niente di quello che dicono? Fanno la schiuma alla bocca, e sembra che vogliano prendersi per i capelli di momento in momento, ma poi ridono sotto il naso. Tutte vesciche[1] per il popolo che paga i ladri e i ruffiani[2], e gli sbirri[3] come don Michele. Ecco! ecco! - esclamò don Franco cogli occhi che gli schizzavano dalla testa. - Vedete la conseguenza del sistema! La conseguenza è che tutti diventano canaglia[4]. Non vi offendete, compare 'Ntoni ______________________________. Anch'io sarei come voi, se non avessi studiato, e non avessi quel mestiere da guadagnarmi il pane".

da Giovanni Verga, *I Malavoglia*, Treves, 1881

[1]**vesciche:** ferite della pelle, in questo caso è un riferimento metaforico per indicare i problemi e i danni causati dai parlamentari al popolo.
[2]**ruffiani:** criminali che favoriscono e sfruttano la prostituzione.
[3]**sbirri:** poliziotti, in senso dispregiativo.
[4]**canaglia:** persona disonesta, criminale.

b. Il gatto

1 **Scegli la parola corretta per completare i modi di dire.**

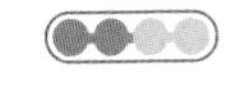

1. Essere come cane e ***gatta/gatto***.
2. ***Gatta/Gatto*** ci cova!
3. Essere ***una gatta morta/un gatto morto***.
4. Avere sette vite come ***una gatta/un gatto***.
5. Giocare come ***la gatta/il gatto*** con il topo.

2 **Scegli il significato corretto per ogni modo di dire.**

1. *Giocare come il gatto con il topo.*	**a.** Giocare insieme amichevolmente.	☐
	b. Non avere senso dell'umorismo.	☐
	c. Divertirsi a stuzzicare un avversario più debole prima di sconfiggerlo.	☐
2. *Gatta ci cova!*	**a.** "Attento a non commettere errori!"	☐
	b. "Qualcosa non va! Sotto c'è un inganno…"	☐
	c. "Hai fatto un errore!"	☐
3. *Essere una gatta morta.*	**a.** Essere una persona furba e maliziosa che nasconde la sua vera indole dietro un comportamento apparentemente ingenuo e innocuo.	☐
	b. Essere una persona estremamente intelligente e geniale, ma molto timida.	☐
	c. Essere una persona estremamente stupida e inetta.	☐
4. *Essere come cane e gatto.*	**a.** Essere grandi amici.	☐
	b. Essere indifferenti l'uno all'altro.	☐
	c. Essere nemici irriducibili.	☐
5. *Avere sette vite come un gatto.*	**a.** Essere forti, riuscire sempre ad uscire da situazioni difficili, anche di salute.	☐
	b. Riuscire a fare tante cose contemporaneamente.	☐
	c. Affrontare molte difficoltà con serenità e senza abbattersi mai.	☐

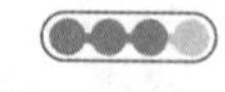

3 Quale modo di dire useresti per le frasi della prima colonna? Collega le frasi ai modi di dire, come nell'esempio.

1. Luigi ha fatto un incidente e ne è uscito illeso.
2. Luca e Sandra si odiano e quando si incontrano litigano sempre.
3. C'è qualcosa che non va: oggi Luigi è stato troppo gentile e servizievole.
4. Carla fa finta di essere ingenua per fare poi i propri comodi.
5. In questo incontro di pugilato il campione è più forte, ma si diverte a stuzzicare ancora un po' il suo avversario.

a. Gioca come il gatto con il topo.
b. È una gatta morta.
c. Sono come cane e gatto.
d. *Ha sette vite come un gatto.*
e. Gatta ci cova!

4 Leggi il testo. A quale modo di dire dell'esercizio 1 ha dato origine?

Il gatto e i topi

C'era una volta un gatto che, venuto a sapere di una casa in cui vivevano molti topi, decise di andare ad abitarci. Prendendoli uno alla volta, se li mangiava comodamente. I topi, capita la situazione, non uscivano più dalle loro tane. Allora il gatto, non arrivando più a prenderli, capì che bisognava farli uscire fuori con qualche tranello[1]. Perciò salì sopra una scala e, lasciandosi penzolare giù, fingeva d'essere morto. Ma quando un topo, facendo capolino dalla tana, lo vide, capì il trucco ed esclamò: "Caro mio, puoi diventare anche un sacco, ma noi vicino a te non ci verremo!"

da Esopo, *Favole*

Il modo di dire è:

Il proverbio

Scegli la spiegazione corretta per questo proverbio.

Tanto va la gatta al lardo che ci lascia lo zampino.

a. Chi è troppo generoso, alla fine rischia di perdere tutto. ☐
b. Mangiando cibi troppo grassi, si perdono bellezza e vigore fisico. ☐
c. Affrontando situazioni pericolose, prima o poi si rischia di subire grossi danni. ☐

[1] **tranello:** trappola per trarre in inganno, insidia.

c. Il cane

1 Separa le parole e forma i modi di dire.

1. CANCHEABBAIANONMORDE

____

2. CANENONMANGIACANE

____

3. FAREUNAVITADACANI

____

4. MENARILCANPERLAIA

____

5. ESSEREFORTUNATICOMEICANIINCHIESA

____

6. VOLERDRIZZARELEGAMBEAICANI

____

2 A quale modo di dire dell'esercizio 1 si riferisce questo disegno?

____

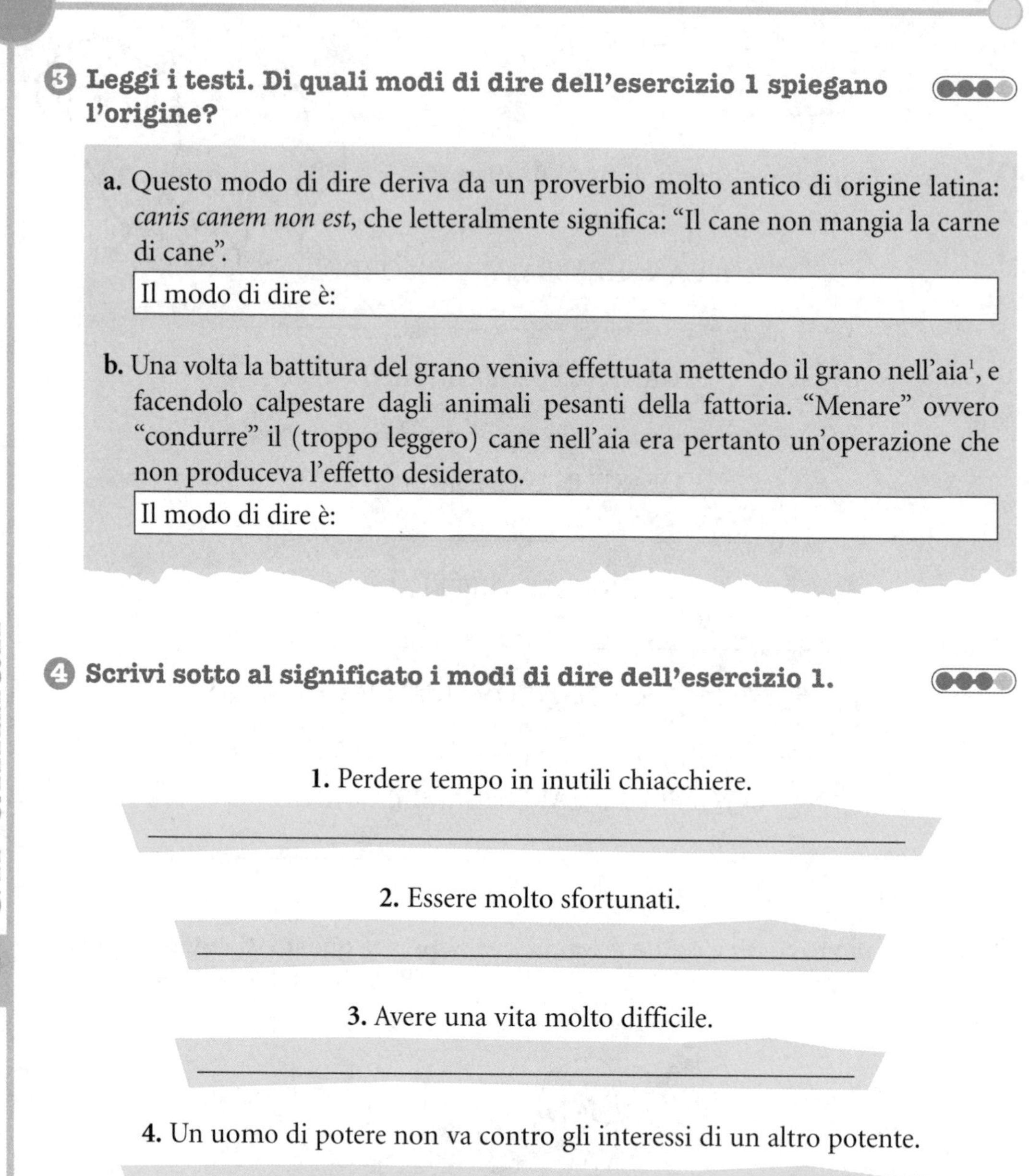

3 Leggi i testi. Di quali modi di dire dell'esercizio 1 spiegano l'origine?

a. Questo modo di dire deriva da un proverbio molto antico di origine latina: *canis canem non est*, che letteralmente significa: "Il cane non mangia la carne di cane".

Il modo di dire è:

b. Una volta la battitura del grano veniva effettuata mettendo il grano nell'aia[1], e facendolo calpestare dagli animali pesanti della fattoria. "Menare" ovvero "condurre" il (troppo leggero) cane nell'aia era pertanto un'operazione che non produceva l'effetto desiderato.

Il modo di dire è:

4 Scrivi sotto al significato i modi di dire dell'esercizio 1.

1. Perdere tempo in inutili chiacchiere.

____

2. Essere molto sfortunati.

____

3. Avere una vita molto difficile.

____

4. Un uomo di potere non va contro gli interessi di un altro potente.

____

5. Cercare di fare cose assurde, irrealizzabili.

____

6. Chi minaccia spesso, generalmente non è pericoloso.

____

[1] **aia:** cortile interno di una casa di campagna.

5 Completa i modi di dire con i verbi della lista.

battere | portare | stare | svegliare | trattare

1. "Non ____________ il can che dorme" significa che non bisogna provocare chi si può rivelare pericoloso.
2. "____________ (qualcuno) come un cane" significa maltrattare e umiliare qualcuno.
3. "____________ il cane al posto del padrone" significa prendersela non con il responsabile di un torto, ma con qualcuno più debole che gli sta vicino.
4. "____________ come il cane alla catena" significa essere impotenti, rimanere contro la propria volontà in un luogo.
5. "____________ rispetto al cane per amore del padrone" significa cercare di ingraziarsi qualcuno adulando chi gli è vicino.

6 Completa i dialoghi con i modi di dire dell'esercizio 5 facendo le modifiche necessarie.

1. ● Oggi ho litigato con la segretaria del direttore, le ho detto tutto quello che non va nel nostro ufficio.
   ● E pensi di aver risolto qualcosa ____________________?
2. ● Marco è sempre gentile con la segretaria del direttore generale. Vuole avere un aumento di stipendio, ne sono sicuro.
   ● Sì, hai ragione, Marco ____________________.
3. ● Perché sei così arrabbiata con Luca?
   ● Ieri abbiamo avuto una discussione, mi ha urlato addosso, mi ha maltrattata, insomma mi ____________________.
4. ● Oggi abbiamo fatto un altro scherzo a Franco e tutti i colleghi si sono divertiti moltissimo.
   ● Franco è un tipo tranquillo ma ti assicuro che quando si arrabbia può essere veramente cattivo, ti consiglio di ____________________.
5. ● Allora come va? Stai bene nel tuo nuovo posto di lavoro?
   ● Per niente, i colleghi sono antipatici, l'ufficio è brutto e squallido, praticamente ____________________.

d. Gli animali feroci

1 Collega le parole della lista ai disegni.

a. b. c.

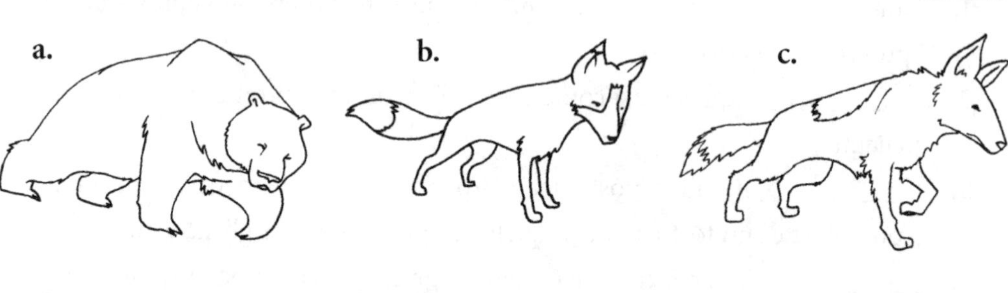

lupo leone tigre volpe sciacallo orso

d. e. f.

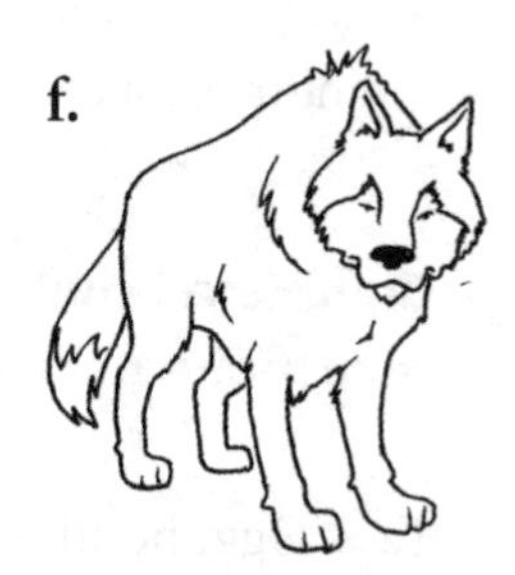

2 Scegli quali frasi della seconda colonna potrebbero sostituire i modi di dire evidenziati nella prima colonna, come nell'esempio.

1. Domani hai l'esame? Allora ***in bocca al lupo***!	a. sfruttarla a proprio vantaggio
2. Francesca sembra pericolosa ma alla fine lei ***è una tigre di carta***.	b. è un nemico temibile ma soltanto in apparenza
3. Quando si è in difficoltà è meglio star lontani da Rino perché ***è uno sciacallo***.	c. *buona fortuna!*
4. Aspettiamo prima di festeggiare, non dobbiamo ***vendere la pelle dell'orso prima di averlo ucciso***.	d. approfitta delle disgrazie degli altri
5. Luca è un campione e in queste gare ***ha fatto la parte del leone***.	e. è stato il più forte
6. È una situazione molto difficile e pericolosa, servirebbe un uomo capace e coraggioso per ***cavalcare la tigre***.	f. contare su qualcosa che non abbiamo ancora in mano

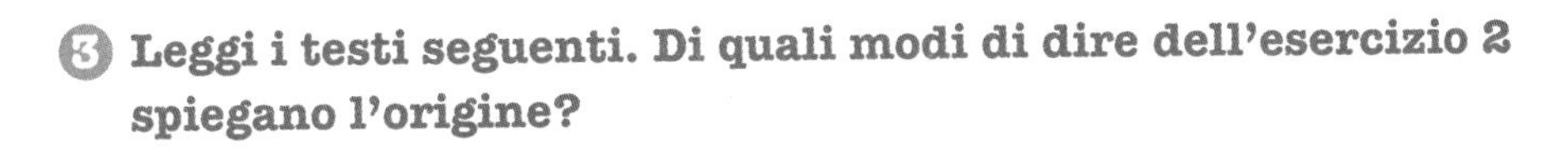
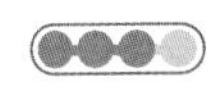

3 Leggi i testi seguenti. Di quali modi di dire dell'esercizio 2 spiegano l'origine?

a. Questa espressione viene da una famosa frase pronunciata da Mao Zedong in occasione di un'intervista del 1946 con la giornalista americana Anne Louise Strong. La metafora riguardava i reazionari, che "in apparenza sembrano terribili, ma in realtà non sono così potenti". Questa frase si affermò in Europa nel periodo della contestazione tra la fine degli anni sessanta e l'inizio degli anni settanta.

Il modo di dire è:

b. Questo modo di dire è preso dal gergo dei cacciatori e originariamente significava: "Buona caccia", una formula con la quale si augurava al cacciatore, se veniva a trovarsi di fronte ad un animale pericoloso, di avere la meglio.

Il modo di dire è:

4 Metti in ordine il testo. Le lettere a sinistra formeranno un modo di dire usato come titolo di un film di Carlo Mazzacurati del 2002.

della	Guido non la tradisce e viene condannato. Due anni e sei mesi dopo, Guido sta per uscire di prigione, quando è coinvolto in un'evasione da due ergastolani. Una volta fuori
ava	situazione economica, ha l'idea di fare una rapina nella quale coinvolge la sua compagna Antonella, più giovane di lui, di professione ballerina televisiva. La rapina, progettata con molta accortezza,
ti	dal carcere, Guido per evitare la cattura e un'altra pesante condanna non ha altra scelta che seguire i due. Il suo obiettivo è trovare Antonella. La ragazza,
a c	Guido vive a Milano, ha quarant'anni, è un simpatico e vitale sbruffone pieno di debiti. Per risolvere la sua
gre	nel frattempo, è diventata giornalista televisiva e sta registrando dei servizi in Liguria. La situazione si complica quando uno dei due ergastolani tradisce l'altro.
llo	va male a causa di un imprevisto. Guido viene arrestato mentre Antonella riesce a darsi alla fuga senza essere identificata, portando con sé l'intero bottino.

Il titolo del film è:

e. La mosca

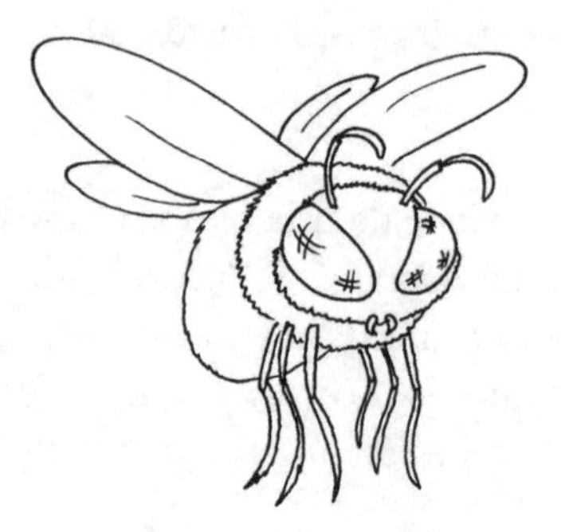

1 Completa i modi di dire con le parole della lista.

bianca | **cocchiera** | **male** | **morire** | **mosche** | **naso** | **volare**

1. "Rimanere con un pugno di ____________" significa restare senza niente.
2. "____________ come le mosche" significa morire in gran numero.
3. "Far saltare la mosca al ____________" significa irritare, infastidire.
4. "Essere una mosca ____________" significa essere una persona non comune.
5. "Non far ____________ a una mosca" significa essere innocuo, mite.
6. "Essere la mosca ____________" significa prendersi poteri e meriti che non spettano.
7. "Non sentire ____________ una mosca" significa essere immerso nel silenzio.

2 A quali modo di dire dell'esercizio 1 si riferiscono questi disegni?

b. ____________________

a. ____________________

c. ____________________

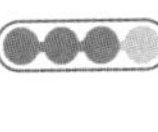

3 Completa i dialoghi con i modi di dire dell'esercizio 1 facendo le modifiche necessarie.

1. ● Due anni fa Gianni ha investito tutti i suoi soldi in borsa. Ora è diventato ricco?
   ● Purtroppo per lui le cose sono andate male, ha perso tutto ed ____________________.
2. ● È un posto meraviglioso, il verde, la natura, lontano dal traffico cittadino.
   ● È anche il posto ideale per studiare, così silenzioso che ____________________.
3. ● Come fai ad essere così sicuro che non è stata Laura?
   ● Non può essere lei, è una persona così pacifica che ____________________.
4. ● Tuo nonno ti ha raccontato del periodo della guerra?
   ● Sì, mi ha detto che era un periodo terribile, c'era la fame, la violenza fine a se stessa e le persone ____________________.
5. ● Ma che cos'ha di tanto interessante quell'uomo?
   ● Lui non è soltanto interessante, è speciale! Di uomini così ce ne sono pochi: ____________________.
6. ● Che hai? Ti vedo nervoso...
   ● È il direttore che mi innervosisce, mi ____________________ ogni volta che mi chiede qualcosa.
7. ● Ma io credevo che il direttore fosse il signor Lauri...
   ● Infatti il signor Lauri è il direttore, ma Franco ____________________ che crede di avere il potere in questo ufficio.

4 **Completa la favola che ha dato origine al modo di dire Essere una mosca cocchiera con le parole della lista.**

alleggerire carrozzone cavalli frusta grazie legge
mosca muso naso parlano ronzare salita saliva
spalle strada sudavano tetto trotto viaggiatori

Un __________ tirato da sei __________ __________ su per una via ripida, rotta e sabbiosa. I __________ erano scesi e facevano a piedi il tratto di __________ per __________ i cavalli del peso e della fatica ma nonostante questo i cavalli __________ e soffiavano.
Arrivò una __________. "Per fortuna sono arrivata io!" esclamò.
E cominciò a __________ negli orecchi degli animali, a pungere ora questo ora quello, ora sul __________ ora sul dorso. Poi si sedette sul timone, poi si posò sul __________ del cocchiere, poi volò sul __________ della carrozza.
Andava, veniva, e brontolava e si lamentava: "Bel modo di fare! Se non ci fossi io! Guarda: il prete __________ il breviario, quella donna canta, quei due __________ dei loro affari, il cocchiere sonnecchia! A darmi pena sono io sola, tocca a me far tutto. Tutto cade sulle mie __________. Ah, che lavoro!"
Quando finalmente la carrozza giunse al termine della __________, dove ricominciava la via piana, i viaggiatori ripresero il loro posto; il cocchiere fece schioccare la __________; i cavalli si rimisero al __________.
E la mosca, sul tetto del carrozzone, si vantava: "Li ho condotti fin quassù! Se non c'ero io! E nemmeno __________ mi dicono, dopo tutto ciò che ho fatto per loro."
Tra gli uomini quante mosche cocchiere!

da La Fontaine, *Favole*

Il proverbio

Metti in ordine le parole che formano il proverbio.

un che un meglio vivo asino dottore morto

____ *morto.*

Non bisogna rovinarsi la salute studiando troppo.

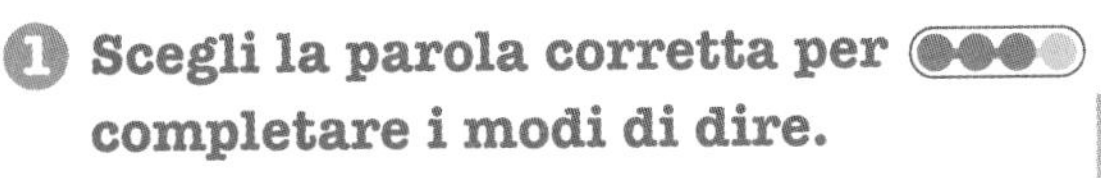

f. Il becco e la cresta

CRESTA

BECCO

1 Scegli la parola corretta per completare i modi di dire. 

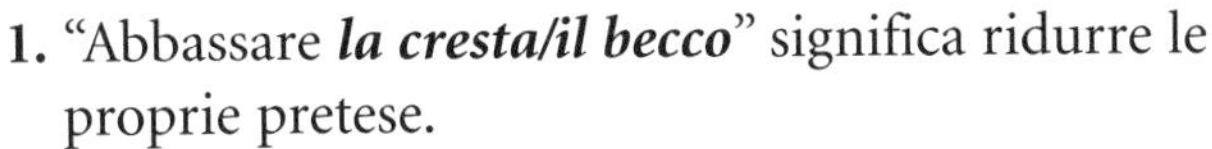

1. "Abbassare ***la cresta/il becco***" significa ridurre le proprie pretese.
2. "Essere ***sulla cresta/sul becco*** dell'onda" significa essere in un periodo di grande successo.
3. "Tenere ***la cresta chiusa/il becco chiuso***" significa tacere, zittirsi.
4. "Non avere ***la cresta/il becco*** di un quattrino" significa non avere soldi.
5. "Fare ***la cresta/il becco*** sulla spesa" significa far credere di aver pagato di più una cosa comprata con i soldi di qualcun altro.
6. "Essere ***cresta/becco*** e bastonato" significa subire un danno ed essere messi in ridicolo.

2 Completa le frasi con i modi di dire dell'esercizio 1 facendo le modifiche necessarie. 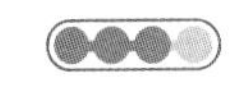

1. Ti ho dato 20 euro per comprare il giornale e dici che non c'è il resto? Tu ______________________.
2. Da quando è andata in TV, Luisa ______________________, anche i miei studenti la conoscono!
3. Questo è un segreto e devi ______________________!
4. Non posso proprio prestarti dei soldi, ______________________.
5. Povero Franco, ______________________: sua moglie lo tradisce da tre anni e lui è l'unico a non saperlo.
6. Sei troppo orgoglioso e arrogante! Devi ______________________!

3 Leggi il testo. A quale modo di dire dell'esercizio 1 si riferisce? 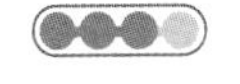

Questo modo di dire proviene dall'espressione *fare l'agresto*, cioè fare il succo d'uva acerba, che veniva usato come condimento. Spesso con la scusa di "fare l'agresto" i contadini prendevano anche l'uva che non gli apparteneva.

Il modo di dire è:

g. Le ali, la coda e le zampe

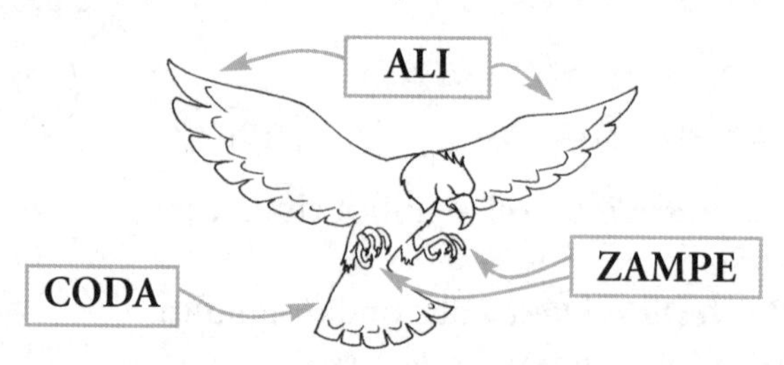

❶ **Scegli il significato corretto per ogni modo di dire.**

1. *Bruciarsi le ali.*	**a.** Esagerare fino a danneggiare se stessi. ☐ **b.** Riscaldarsi. ☐ **c.** Fare un lungo viaggio da soli. ☐
2. *Fare la coda.*	**a.** Corteggiare in modo insistente. ☐ **b.** Mettersi in fila ad aspettare il proprio turno. ☐ **c.** Lasciare tutto in disordine. ☐
3. *Andarsene con la coda tra le gambe.*	**a.** Andare via sconfitti e umiliati. ☐ **b.** Tornare a casa ubriachi. ☐ **c.** Andare via con troppe valigie. ☐
4. *Tarpare le ali a qualcuno.*	**a.** Fare operazioni aritmetiche senza calcolatrice. ☐ **b.** Impedire a qualcuno di partire. ☐ **c.** Ostacolare qualcuno nella sua attività. ☐
5. *Guardare con la coda dell'occhio.*	**a.** Guardare intensamente qualcuno. ☐ **b.** Guardare distrattamente qualcosa. ☐ **c.** Sbirciare senza far vedere che si guarda. ☐
6. *Avere le zampe di gallina.*	**a.** Avere gambe lunghe e slanciate. ☐ **b.** Avere gambe forti e robuste. ☐ **c.** Avere le rughe intorno agli occhi. ☐
7. *Avere la coda di paglia.*	**a.** Non avere la coscienza tranquilla e sospettare di tutto. ☐ **b.** Essere molto vanitosi ed esibizionisti. ☐ **c.** Avere molta cura nel vestirsi. ☐

❷ **Completa l'articolo con uno dei modi di dire dell'esercizio 1.**

Un lettore di Piacenza mi chiede perché si dice «____________________». C'è chi ne collega l'origine alla favola sulla volpe che aveva avuto la coda recisa da una tagliola e per la vergogna di farsi vedere in quello stato e non sentirsi diversa, convocò tutte le volpi per persuaderle di tagliarsi la coda, poiché si trattava solo di un'appendice, di un peso inutile. Ma quelle risposero che lei dava consigli al prossimo non per benevolenza, ma per il proprio vantaggio. Mi sembra più convincente l'ipotesi che rimanda alla pratica medievale di schernire i vinti applicando loro una coda fatta di paglia che poi veniva incendiata. Da qui il modo di dire indica chi non ha la coscienza tranquilla e ha sempre paura che la coda gli prenda fuoco.

da Gian Luigi Beccaria, *www.lastampa.it*

Il proverbio

Inserisci le parole capo e coda al posto giusto nel proverbio.

È meglio esser ________ di lucertola che ________ di dragone.

È meglio lavorare in modo indipendente, anche modestamente, che essere sottomessi ad un padrone anche se si è pagati bene.

Parole crociate

1				2		■	■	■	■
■	■	■	■		■	■	■	3	■
4	■	5	■	6					■
	■		■		■	■	■		■
7					■	8			
	■		■	■	■		■		■
■	■	■	■	■	■		■		■
■	9						■	■	■
■	■	■	■	■	■		■	■	■
■	10								

Orizzontali ▶

1. L'________ è come il pesce, dopo tre giorni puzza.
6. Mia madre ha sette vite come i ________.
7. Sono rimasto muto come un ________.
8. Cane non mangia ________.
9. La guerra è guerra: le persone muoiono come le ________.
10. Sei uno ________ se sfrutti il dolore degli altri!

Verticali ▼

2. Secondo Mao la ________ è di carta.
3. Guarda che non sono una mosca ________, non lo voto solo io questo partito.
4. In bocca al ________!
5. Non bisogna vendere la pelle dell'________ prima che sia morto.
8. Sei proprio fortunato come i cani in ________.

Cibo e bevande

a. Mangiare e bere

1 Completa i modi di dire con le parole della lista.

a | affogare | bere | bere | cani | la

1. "Mangiare __________ sbafo[1] (o a scrocco[2])" significa mangiare senza pagare.
2. "__________ come una spugna" significa essere grandi bevitori.
3. "Mangiare __________ foglia" significa capire la situazione.
4. "O bere o __________" significa scegliere tra due alternative difficili.
5. "Mangiare da __________" significa mangiare malissimo.
6. "Darla a __________" significa convincere qualcuno di una cosa non vera.

2 Leggi il testo. Di quale modo di dire dell'esercizio 1 spiega l'origine?

Deriva forse dall'osservazione di quegli animali che hanno un fiuto molto sviluppato e riescono a distinguere subito le piante velenose da quelle buone. Altri ritengono invece che derivi sempre dal mondo contadino e abbia però il significato di "avere esperienza", "essere maturi", poiché solo l'animale già adulto si nutre d'erba mentre i cuccioli si nutrono con il latte materno.

Il modo di dire è:

3 Completa le frasi con i modi di dire dell'esercizio 1 facendo le modifiche necessarie.

1. Non abbiamo molta scelta, __________________.
2. Con la scusa di venirmi a trovare, Giulio __________________ a casa mia tutte le sere.
3. Luca __________________ ed è sempre ubriaco.
4. Non andiamo in questo ristorante, lo conosco e si __________________.
5. Non possiamo __________________ a Carla, lei è troppo furba e capirebbe subito l'inganno.
6. Abbiamo preparato uno scherzo al lavoro a Laura ma penso che lei __________________ perché oggi non è venuta.

[1]**sbafo:** termine che viene da *sbafare*, mangiare con avidità, forse dal significato "mandare fuori l'aria", che aveva la parola *sbafare* nel romanesco antico.

[2]**scrocco:** termine che viene da *scroccare* che in origine significava "strappare con un uncino" (da *crocco*, antico germanico = uncino).

4 Metti in ordine il testo. Le lettere a sinistra formeranno un nuovo modo di dire.

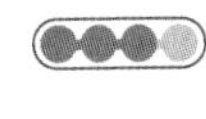

etito	si vorrebbe avere. A volte serve anche per sottolineare un'attività che, iniziata senza impegno, ad un certo punto
iando	Per questo fu condannato dalla dea ad una fame insaziabile.
l'app	Questo modo di dire è usato per dire che più si ha più
vien	comincia a piacerci. Questa locuzione è molto antica:
mang	Ovidio nelle *Metamorfosi* (VIII, 11) parla del mito di Erysichthon che abbatté gli alberi sacri del bosco di Demetra per farne una sala.

Il modo di dire è:

Il proverbio

Scegli la spiegazione corretta per questo proverbio.

O mangi questa minestra o ti butti dalla finestra.

a. Bisogna accettare la situazione anche se non è molto piacevole, perché l'alternativa è ancora peggiore. ☐

b. Bisogna rifiutare le situazioni che ci vengono imposte dagli altri perché potrebbero procurarci danno. ☐

c. Bisogna scegliere tra il mangiare bene e il fare attività fisica, non si possono fare tutte e due le cose. ☐

b. Il pane

1 A quale modo di dire della lista si riferisce questo disegno?

non si vive di solo pane **trovare il pane per i propri denti**

rendere pan per focaccia[1]

____

2 Leggi i testi e scegli quale si riferisce al modo di dire Non si vive di solo pane.

a. Viene da una frase latina ed è usato per rivolgersi a persone a cui si è fatto del bene e che ci hanno ripagato con l'ingratitudine. Secondo lo storico romano Svetonio, queste parole furono pronunciate da Giulio Cesare quando, colpito a pugnalate dai congiurati, vide tra questi Marco Giunio Bruto, il suo figlio adottivo a cui aveva affidato il governo della Gallia Cisalpina. ☐

b. Si usa per dire, con un po' di ironia, che le cose potrebbero andare peggio. La frase è presa da una canzone francese degli anni '30. ☐

c. È la traduzione italiana di un passo del Vangelo di Matteo. La frase è la risposta che Gesù, affamato dopo quaranta giorni di digiuno, dà a Satana che lo tenta invitandolo a trasformare i sassi in pane. Il significato è che oltre al nutrimento materiale, l'uomo ha bisogno di nutrimento spirituale. ☐

[1]**focaccia:** tipo di pane di forma sottile e schiacciata condito con olio e cotto al forno.

3 Scegli il significato corretto per ogni modo di dire

1. *Trovare il pane per i propri denti.*	**a.** Darsi delle arie e trattare gli altri con distacco. ☐ **b.** Parlare con più sincerità. ☐ **c.** Trovarsi di fronte ad una situazione che mette alla prova le proprie capacità. ☐
2. *Rendere pan per focaccia.*	**a.** Rispondere ad un'offesa o ad un attacco con un'altra offesa di uguale o maggiore intensità. ☐ **b.** Fare una cosa che dovrebbe essere fatta dopo un'altra. ☐ **c.** Insinuare in qualcuno sospetti e fare allusioni. ☐

Il proverbio

Metti in ordine le parole che formano il proverbio.

è fame miglior il la companatico[1]

_______________________________________ *companatico.*

Chi ha fame si accontenta di qualsiasi cosa.

c. Il vino

1 Separa le parole che formano i modi di dire.

1. *FINIREATARALLUCCIEVINO*

____

2. *DOMANDAREALLOSTESEILVINOÈBUONO*

____

3. *REGGEREILVINO*

____

4. *LEVAREILVINODAIFIASCHI*

____

5. *DIREPANEALPANEEVINOALVINO*

____

6. *CONSUMAREPIÙVINOCHEOLIO*

____

[1]**companatico:** il cibo che si mangia con il pane.

2 A quale modo di dire dell'esercizio 1 corrisponde questo disegno?

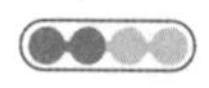

____

3 Scegli quali frasi della seconda colonna potrebbero sostituire i modi di dire **evidenziati** nella prima colonna, come nell'esempio.

1. Giancarlo ***regge il vino*** tranquillamente. Ne avrà già bevuto un litro eppure è completamente lucido.	a. è stata risolta in modo pacifico
2. È inutile fare tanti discorsi, bisogna essere chiari e ***dire pane al pane e vino al vino***.	b. chiedersi una cosa ovvia
3. Mio zio ***consuma più vino che olio***, berrà almeno un litro di vino al giorno.	c. *beve molto vino senza ubriacarsi*
4. Oggi dobbiamo ***levare il vino dai fiaschi***, stavolta il problema va risolto in modo definitivo.	d. trovare una soluzione
5. La lite tra Roberto e Michele ***è finita a tarallucci e vino*** e ora sono di nuovo amici inseparabili.	e. parlare apertamente
6. Lo sai che Carlo è un tifoso[1] accanito della Roma e mi domandi se ieri è andato allo stadio? È come ***domandare all'oste se il vino è buono***. Certo che ci è andato!	f. ha l'abitudine di bere molto

[1]**tifoso:** termine che deriva da *tifo*, che significa entusiasmo e passione per una squadra sportiva o un campione.

Il proverbio

Scegli la spiegazione corretta per questo proverbio latino.

In vino veritas.

a. Bisogna diffidare del vino perché quando ne beviamo troppo ci fa perdere il controllo e parlare in modo sbagliato. ☐

b. Quando si beve il vino si è disposti più facilmente a rivelare cose che normalmente non diremmo. ☐

Parole crociate

Orizzontali ▶

3. Se capisco la situazione mangio la ___________.

4. O bere o ___________.

7. Bere come una ___________ significa bere molto vino.

8. Mangiare a sbafo o a ___________.

10. Se mangio male, mangio da ___________.

11. Domandare all'___________ se il vino è buono.

Verticali ▼

1. Finire a ___________ e vino.

2. Trovare il ___________ per i propri denti.

5. Rendere pan per ___________.

6. Levare il vino dai ___________.

9. Consumare più vino che ___________.

Piangere e ridere

1 Completa i modi di dire con le parole della lista.

calde — coccodrilo — ingoiare — sangue — tasca

1. Avere le lacrime in ___________.
2. ___________ le lacrime.
3. Piangere lacrime di ___________.
4. Sudare lacrime e ___________.
5. Piangere a ___________ lacrime.

LACRIME

2 Completa il testo con le parole della lista, aiutandoti con i sinonimi tra parentesi, come nell'esempio. Poi rispondi alla domanda.

afferra — galla — commettere — divora — emerge — fauci — fugge — gridando — rimbalzare — rimorsi — ~~rive~~ — sassi — sdegno — singhiozzando

Il pesce e il coccodrillo

Due bambini giocavano sulle (**spiagge**) *rive* del fiume Nilo. Raccoglievano (**pietre**) ___________ e si divertivano a farli (**saltare**) ___________ sull'acqua. Improvvisamente un mostruoso coccodrillo (**esce**) ___________ dall'acqua con le (**bocca**) ___________ spalancate, (**prende**) ___________ un bambino e lo (**mangia**) ___________. Il compagno che vede la scena (**scappa**) ___________ via (**urlando**) ___________ disperatamente. Aveva assistito a quella scena anche un pesce che, tra lo (**indignazione, risentimento**) ___________ e l'orrore, si tuffa di colpo nel più profondo delle acque. Poco dopo, però, il pesce sente piangere e pensa: "Il mostro ha i (**sensi di colpa**) ___________, lo convincerò a non (**fare**) ___________ più simili delitti". E, risalito a (**superficie dell'acqua**) ___________, nuota verso il coccodrillo. "Piangi! - gli grida - Piangi il tuo delitto! Ringrazia gli Dei che ti mandano il rimorso". "Sì - l'interrompe il coccodrillo (**piangendo**) ___________ - sì, piango per la rabbia di non aver potuto catturare anche l'altro".

A quale modo di dire dell'esercizio 1 si riferisce questa storia?

____

3 Scrivi sotto al significato i modi di dire dell'esercizio 1.

1. Affrontare grandi sacrifici per ottenere qualcosa.

____

2. Pentirsi tardivamente o in modo falso.

____

3. Piangere disperatamente.

____

4. Piangere facilmente.

____

5. Trattenersi dal piangere.

____

4 Quale modo di dire useresti per le frasi della prima colonna? Collega le frasi ai modi di dire, come nell'esempio.

1. Sono disperato, vorrei piangere ma non posso farmi vedere dagli altri.	a. Ha sudato lacrime e sangue.
2. Da quando suo marito l'ha lasciata non fa che disperarsi.	b. Piange a calde lacrime.
3. Giacomo finge di dispiacersi per la morte di Enrico, ma in realtà lo ha sempre odiato.	c. *Devo ingoiare le lacrime.*
4. Giuliano ha fatto sacrifici enormi per comprarsi la casa.	d. Ha le lacrime in tasca.
5. Sarà l'età, ma mia figlia piange per ogni piccolo problema.	e. Piange lacrime di coccodrillo.

Il proverbio

Scegli la spiegazione corretta per questo proverbio.

Piangere sul latte versato.

a. Preoccuparsi per qualcosa di inutile e superfluo. ☐
b. Preoccuparsi quando ormai non c'è più nulla da fare. ☐
c. Preoccuparsi al momento giusto. ☐

5 Collega i modi di dire al significato corretto, come nell'esempio.

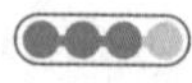

1. Far ridere i polli.	a. Suscitare una grande ilarità.
2. Ridere a denti stretti.	b. Ridere forzatamente, controvoglia.
3. Ridere sotto i baffi.	c. *Essere ridicoli.*
4. Far morire dal ridere.	d. Sorridere di nascosto.
5. Sbellicarsi dalle risate.	e. Ridere energicamente.

6 A quali modi di dire dell'esercizio 5 si riferiscono questi disegni?

a. ____________________

b. ____________________

7 Quale modo di dire useresti per le frasi della prima colonna? Collega le frasi ai modi di dire, come nell'esempio.

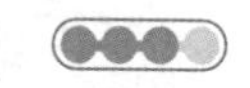

1. Non posso farlo vedere agli altri ma la brutta figura che ha fatto il direttore è troppo divertente!	a. Fa ridere i polli.
2. Sono andato a vedere un film comico e ho riso così tanto che gli altri spettatori mi hanno chiesto di smetterla o di uscire dalla sala.	b. *Rido sotto i baffi.*
3. Luca cerca di essere simpatico a tutti, ma nessuno trova divertenti le sue battute.	c. Mi sono sbellicato dalle risate.
4. Hai visto questo film di Totò? È divertentissimo!	d. Devi ridere a denti stretti.
5. Lo so che le battute del Direttore Generale non fanno ridere, ma tu devi far finta di trovarle divertenti se vuoi conservare il tuo lavoro.	e. Fa morire dalle risate.

Il proverbio

Metti in ordine le parole che formano il proverbio.

ride *ride ultimo bene chi*

Ride ______________________________

È meglio non rallegrarsi prima della fine di un gioco o di una competizione. È soltanto la conclusione che stabilirà il vero vincitore.

Parole crociate

		1				2		3				
4												5
		6										
7			8				9		10			
	11											
				12								

Orizzontali ▶

1. Ridere sotto i __________.
6. Piangere lacrime di __________.
7. Ridere a __________ stretti.
9. Far ridere i __________.
11. Sbellicarsi dalle __________.
12. Sudare lacrime e __________.

Verticali ▼

2. __________ le lacrime.
3. Ride bene chi ride __________.
4. Piangere a __________ lacrime.
5. Far __________ dalle risate.
8. Avere le lacrime in __________.
10. Piangere sul __________ versato.

Lo spazio e i luoghi

a. Luoghi speciali

1 Segna sulla cartina i luoghi della lista.

America | Roma | Scilla e Cariddi | Damasco | La Mecca | Trebisonda

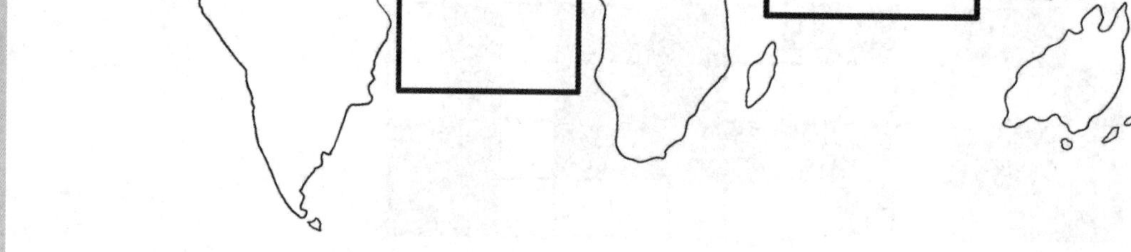

2 Completa i modi di dire con le parole della lista.

America | scoprire | venire

1. "________________ l'America" significa dire qualcosa che tutti conoscono pensando che sia nuova e originale.

2. "Aver trovato l'________________" significa aver fatto fortuna.

3. "________________ dalla Mecca" significa arrivare da un posto molto lontano.

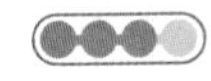

3 Collega i testi ai modi di dire.

1. Protagonista di questo modo di dire è una città della Turchia fondata da Alessio Commeno nel 1204. La città venne conquistata da Maometto II nel 1461. A quel tempo era il maggior porto sul Mar Nero e, per i mercanti che rifornivano le regioni interne, perdere questa rotta significava perdere il denaro investito nel viaggio. Da questo evento storico l'idea di danno e disgrazia.	**a.** Tutte le strade portano a Roma.
2. Questo modo di dire ha origine nella mitologia greca. Secondo la leggenda c'erano due mostri marini ai lati dello stretto di Messina, posti uno di fronte all'altro. Le navi che imboccavano lo stretto erano costrette a passare vicino ad uno dei due mostri con il pericolo di essere distrutte. Oggi l'espressione significa trovarsi tra due gravi pericoli.	**b.** Essere folgorato sulla via di Damasco.
3. È un modo di dire che si riferisce a chi si converte o cambia idea improvvisamente. L'espressione è presa dagli Atti degli Apostoli (IX, 3-4) dove si parla della conversione di Saulo diretto a questa città col compito di portare in catene i seguaci di Cristo. Durante il tragitto, Saulo viene accecato da una luce che lo fa cadere. L'episodio provoca la crisi e la conversione di Saulo che cambierà il suo nome in Paolo e diventerà poi l'apostolo.	**c.** Essere tra Scilla e Cariddi.
4. Questo modo di dire significa che c'è sempre una qualche via, anche se lunga e difficile, che può portarci a raggiungere uno scopo. Il detto risale al medioevo quando questa città era meta di pellegrini provenienti da ogni parte della cristianità. Nessuno si preoccupava di chiedere informazioni sul percorso poiché sapeva che tutte le grandi vie di comunicazione conducevano nel cuore della cristianità.	**d.** Perdere la Trebisonda.

4 Completa i dialoghi e le frasi con i modi di dire degli esercizi 2 e 3 facendo le modifiche necessarie.

1. • Lo sai che Marta e Luigi stanno insieme?
   • (Tu) ____________________! Lo sapevano tutti, soltanto tu non lo sapevi.
2. • Per risolvere questo problema una soluzione vale l'altra.
   • Ma sì, tanto ____________________!
3. Sono stato licenziato, il proprietario della mia casa mi vuole mandare via, mia moglie mi ha lasciato, insomma sono disperato, ____________________.
4. Adesso ho un lavoro fantastico e guadagno molto. Finalmente ____________________!
5. Non ho scelta: o accetto il trasferimento a Milano e perdo la casa, o rinuncio ad andare a Milano e la mia ditta mi licenzia. Praticamente ____________________.
6. Marco ____________________: ha smesso di bere alcol, di giocare a poker e ogni giorno torna a casa subito dopo il lavoro.
7. Ma che ____________________? Non lo sai che nei bar è vietato fumare?

b. Il mondo intero

1 Completa i modi di dire con le parole della lista.

all'altro | **capo** | **crollare** | **fine** | **mandare** | **mettere** | **qualsiasi**

1. "Andare ____________ mondo" significa morire.
2. "____________ all'altro mondo" significa uccidere.
3. "Cascasse il mondo" significa a ____________ costo.
4. "Sentirsi ____________ il mondo addosso" significa sentirsi impotenti dopo una disgrazia inattesa.
5. "Essere la ____________ del mondo" significa essere una cosa straordinaria.
6. "____________ al mondo" significa partorire, far nascere.
7. "Andare in ____________ al mondo" significa andare in un luogo lontanissimo.

2 **Completa le frasi con i modi di dire dell'esercizio 1 facendo le modifiche necessarie.**

1. Il tabaccaio è lontanissimo, praticamente devo ______________ per comprare le sigarette.
2. Ogni giorno fumi 30 sigarette e bevi due litri di vino, se continui così in poco tempo ______________.
3. Clara proprio ieri ______________ una bellissima bambina.
4. Sandro non ride mai. Dopo che la moglie l'ha lasciato ______________.
5. Purtroppo Enrico è morto, una brutta malattia l' ______________.
6. Devo avere assolutamente quei documenti oggi, ______________.
7. Quel videogioco è molto divertente, ______________.

Il proverbio

Metti in ordine le parole che formano il proverbio.

paese il è tutto mondo

____

Nonostante le differenze, sono tanti gli aspetti che uniscono le culture più diverse.

c. Il mare

1 **Collega le espressioni che formano i modi di dire, come nell'esempio.**

1. Cercare per	a. un mare di guai.
2. Essere	b. di mare.
3. Essere in	c. mare.
4. Essere un porto	d. *mari e per monti.*
5. Essere in alto	e. l'ultima spiaggia.

(Esempio: 1 → d)

❷ Scrivi accanto al significato i modi di dire dell'esercizio 1.

1. Essere molto lontani dall'obiettivo.	
2. Cercare ovunque.	
3. Avere moltissimi problemi.	
4. Essere l'ultima possibilità.	
5. Essere un luogo molto frequentato.	

❸ A quali modi di dire dell'esercizio 1 fanno riferimento questi disegni?

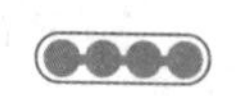

a. ______________________

b. ______________________

❹ Metti in ordine il testo che parla dell'origine del modo di dire **Essere l'ultima spiaggia**. Le lettere a sinistra formeranno un altro modo di dire.

re	Il film è la storia di un equipaggio di un sottomarino
ri	scampato alla catastrofe è l'Australia che però non resisterà a lungo
mette	e Ava Gardner.
pro	Il modo di dire *l'ultima spiaggia* nasce dal titolo omonimo del film di fantascienza del 1959 con Gregory Peck
ma	americano che è sopravvissuto alla guerra atomica. L'unico continente
mon	scenario nasce la storia d'amore tra il
e	perché le radiazioni stanno per travolgerla. In questo
ti	comandante del sommergibile (Gregory Peck) e Moira (Ava Gardner).

Il modo di dire è:

5 Scegli il significato corretto del modo di dire Promettere mari e monti.

a. Impegnarsi a fare grandi gesti di generosità. ☐
b. Fare una cosa completamente inutile. ☐
c. Vivere nell'abbondanza. ☐
d. Fare qualsiasi cosa per raggiungere un obiettivo. ☐

6 Completa le frasi con i modi di dire dell'esercizio 1 facendo le modifiche necessarie.

1. Il computer si è rotto e tutto il lavoro è perso, ora (io) ________________.
2. Ma dove eri finito? Ti ________________.
3. Ho bisogno di un prestito, ho già telefonato a tutti i miei amici ma nessuno può aiutarmi. Non mi rimane che chiamare Gianni. ________________!
4. Questo bar mi piace molto, sempre pieno di gente diversa: ________________.
5. Non posso uscire stasera, (io) ________________ con lo studio.

Il proverbio

Metti in ordine le parole che formano il proverbio.

mare acqua al l' corre

____

Le cose vantaggiose capitano a chi ne ha già abbastanza.

d. La montagna

1 Completa i modi di dire con le parole della lista.

all'origine **monte** **smuovere** **topolino**

1. "Fare di un ________________ una montagna" significa esagerare un fatto, drammatizzare.
2. "________________ le montagne" significa fare grandi sforzi, riuscire in grandi imprese.
3. "A monte" significa ________________, all'inizio.
4. "Mandare a ________________" significa far fallire, rovinare.

2 **A quale modo di dire dell'esercizio 1 si riferisce questo disegno?**

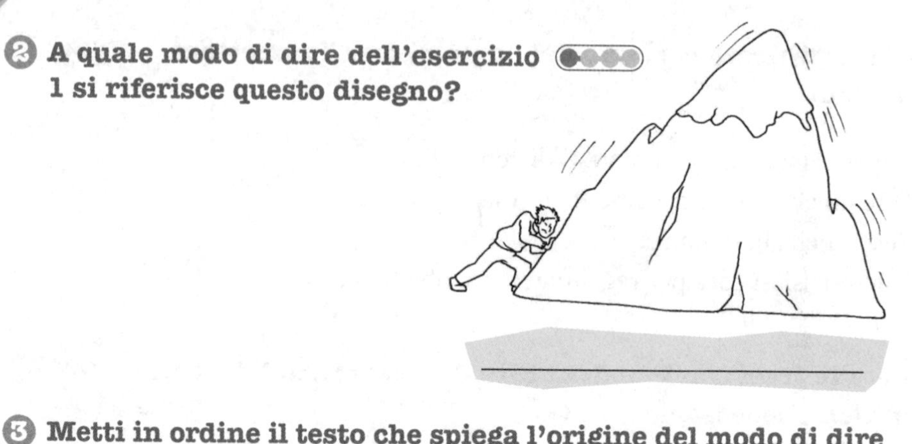

____

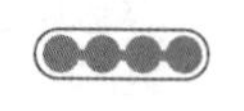

3 **Metti in ordine il testo che spiega l'origine del modo di dire Mandare a monte, come nell'esempio. Fa' attenzione alla punteggiatura.**

Nell'espressione "Mandare a monte",

____

____

____

____

____

____

di "terminare improvvisamente", "far fallire un'attività".

4 **Completa le frasi con i modi di dire dell'esercizio 1 facendo le modifiche necessarie.**

1. Il problema non è quello che è successo in questi ultimi giorni, ma sta ______________________: risale almeno a tre anni fa, da quando hai deciso di trasferirti in questa città.
2. Luca è molto determinato e riesce in tutte le cose che intraprende perché ha una grande forza di volontà! È uno che riesce a ______________________.

3. Dai Dario, ora basta lamentarti! Stai ______________________________: non ti è successo niente, hai solo un raffreddore!
4. Ho rifatto un po' i calcoli dei costi per il nostro prossimo viaggio in Nepal e purtroppo temo che dovremo ______________________________: non abbiamo abbastanza soldi!

e. L'aria

1 Riscrivi i modi di dire inserendo, dove è necessario, la consonante mancante.

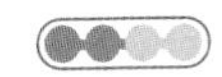

1. BUTARE TUTO AL'ARIA
____

2. ARIA FRITA
____

3. PRENDERE UNA BOCATA D'ARIA
____

4. CAPIRE CHE ARIA TIRA
____

5. SALTARE IN ARIA
____

6. ANDARE A GAMBE AL'ARIA
____

2 A quali modi di dire dell'esercizio 1 si riferiscono questi disegni?

a. ______________________________

b. ______________________________

3 Scrivi accanto al significato i modi di dire dell'esercizio 1.

1. Arrabbiarsi molto.	
2. Mettere in disordine.	
3. Uscire per pochi minuti.	
4. Rendersi conto della situazione.	
5. Argomenti o discorsi ripetuti fino alla noia.	
6. Fallire, andare in rovina.	

4 Completa le frasi con i modi di dire dell'esercizio 1 facendo le modifiche necessarie.

1. Quello che dici non ha nessuna importanza, è ________________.
2. È tutto il giorno che sono chiuso in casa! Vado cinque minuti a ________________.
3. Sei stato tu che ________________ per cercare le chiavi?
4. Il mio capo si è arrabbiato moltissimo, praticamente ________________ quando gli ho chiesto un aumento.
5. Questo non era il suo ambiente e quando ________________, Marco è andato via.
6. La sua impresa è fallita ed ________________.

Il proverbio

Inserisci la preposizione mancante in questo proverbio.

Moglie e buoi paesi tuoi

____

È bene sposare una donna che è nata e cresciuta nel nostro stesso ambiente.

Parole crociate

Orizzontali ▶

4. Se sono stanco di stare al chiuso esco a prendere una ____________ d'aria.
5. Quando sono nervoso posso ____________ in aria dalla rabbia.
7. Le chiacchiere inutili sono ____________ fritta.
9. Città della Turchia. Se la perdi sono guai!
10. Quando non hai quasi più speranze sei all'ultima ____________.
11. Tutte le strade portano a ____________.

Verticali ▼

1. Vengo da molto lontano, cioè dalla ____________.
2. Se faccio promesse esagerate prometto mari e ____________.
3. Quando ho molto lavoro da fare sono in alto ____________.
6. Quando esagero faccio di un ____________ una montagna.
8. Quando trovo il lavoro giusto trovo l' ____________.

La religione

Parole crociate

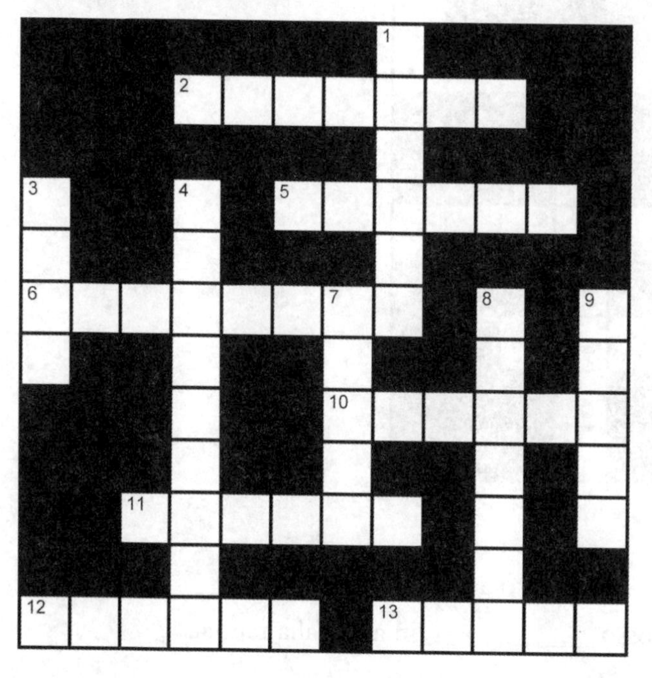

Orizzontali ▶

2. Secondo le religioni cristiane ci vai, dopo la morte, se non sei stato bravo.
5. Festività cristiana che celebra la resurrezione di Gesù.
6. Secondo le religioni cristiane ci vai, dopo la morte, se sei stato bravo.
10. Festività cristiana che celebra la nascita di Gesù, il 25 dicembre.
11. Il libro sacro del cristianesimo.
12. Personaggio storico: il governatore della Giudea ai tempi di Gesù.
13. Il simbolo del cristianesimo.

Verticali ▼

1. Altro nome con cui è chiamato Gesù.
3. Il vescovo di Roma della Chiesa cattolica.
4. Periodo di quaranta giorni prima della Pasqua.
7. Stanno in paradiso.
8. Ha tanti nomi, come per esempio, Satana, Demonio.
9. Sinonimo di sacerdote.

a. Inferno e Paradiso

1 Scegli il significato corretto di ogni parola o espressione.

1. *Mandare qualcuno.*	**a.** Accompagnare qualcuno. ☐
	b. Portare qualcuno. ☐
	c. Far andare qualcuno. ☐
2. *Scatenare.*	**a.** Provocare un evento incontrollabile. ☐
	b. Legare con le catene. ☐
	c. Controllare un evento. ☐
3. *Patire.*	**a.** Partire. ☐
	b. Soffrire. ☐
	c. Gustare. ☐
4. *Pena.*	**a.** Oggetto che si usa per scrivere. ☐
	b. Dolore fisico o morale. ☐
	c. Pianta da giardino. ☐
5. *A dispetto.*	**a.** Scherzando. ☐
	b. Prendendo in giro. ☐
	c. Contro la volontà. ☐
6. *Carrozza.*	**a.** Mezzo di trasporto trainato da cavalli. ☐
	b. Automobile da corsa. ☐
	c. Casa grande e fortificata. ☐

2 Scegli la parola corretta per completare i modi di dire.

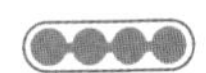

1. Mandare qualcuno ***all'inferno/in paradiso***.
2. Avere qualche santo ***all'inferno/in paradiso***.
3. Scatenare ***l'inferno/il paradiso***.
4. Patire le pene ***dell'inferno/del paradiso***.
5. Stare ***all'inferno/in paradiso*** a dispetto dei santi.
6. Voler andare ***all'inferno/in paradiso*** in carrozza.

3 Collega i modi di dire ai significati, come nell'esempio: 

1. Scatenare l'inferno. → b
2. Patire le pene dell'inferno.
3. Stare in paradiso a dispetto dei santi.
4. Avere qualche santo in paradiso.
5. Andare (mandare qualcuno) all'inferno.
6. Voler andare in paradiso in carrozza.

a. Soffrire moltissimo.
b. *Creare una grande confusione.*
c. Desiderare di ottenere vantaggi senza fatica o sacrifici.
d. Essere in un luogo dove non si è graditi.
e. Essere scacciati (scacciare qualcuno) in malo modo.
f. Avere amici molto influenti.

4 Completa i dialoghi con i modi di dire dell'esercizio 3 facendo le modifiche necessarie.

1. ● Sono arrivati i tuoi nipotini?
   ● Sì, purtroppo, ________________ in casa, hanno messo tutto in disordine e non riesco più a trovare le mie cose.
2. ● Ma perché sei arrabbiata con me? Cosa ti ho fatto?
   ● Hai anche il coraggio di chiedermelo?! Hai passato il fine settimana con la tua "amichetta"! Adesso ________________ e non farti più rivedere.
3. ● È riuscito ad avere quel posto di lavoro senza nemmeno aver fatto il concorso.
   ● Luca è uno che ________________.
4. ● Sei andato dal dentista? Ti fa ancora male il dente?
   ● Sì ci sono andato ieri, adesso va molto meglio, ma ________________.
5. ● Voglio l'aumento di stipendio, 15 giorni in più di vacanze l'anno e la diminuzione dell'orario di lavoro.
   ● Praticamente ________________.
6. ● Ma dai! Anche Giulia è venuta alla festa di matrimonio?
   ● Sì, ma ________________ perché nessuno l'aveva invitata.

b. Il diavolo e il papa

1 Scegli l'articolo o la preposizione corretti per completare i modi di dire.

1. Essere come ***il/un*** diavolo e ***un'/l'*** acqua santa.
2. Fare ***un/il*** diavolo ***a/per*** quattro.
3. Fare ***un/l'***avvocato ***per il/ del*** diavolo.
4. Dare ***sui/dei*** punti ***con il/al*** diavolo.
5. ***Ad/In*** ogni morte ***di/del*** papa.
6. Stare come ***il/un*** papa.
7. Entrare papa ***in/sul*** conclave e uscirne vescovo.

2 **Scrivi sotto al significato i modi di dire dell'esercizio 1.**

1. Fare un gran rumore, protestare violentemente.

____

2. Essere furbissimi, astutissimi, conoscere tutti i trucchi.

____

3. Odiarsi a vicenda.

____

4. Molto raramente, ad intervalli di tempo lunghissimi.

____

5. Sostenere idee contrarie a quelle generalmente accettate.

____

6. Avere inizialmente grandi progetti e non concludere nulla.

____

7. Vivere comodamente.

____

3 **Leggi i testi. Di quali modi di dire dell'esercizio 1 spiegano l'origine? Poi rispondi alla domanda.**

a. Questa espressione deriva dall'uso medievale di fare entrare nelle sacre rappresentazioni quattro diavoli come elemento di confusione e di turbamento nel dialogo tra Dio, la Vergine, i santi e l'anima. Questi spettacoli popolari venivano dati anche in occasione delle grandi feste e nei cimiteri delle chiese per spaventare i peccatori ed indurli al pentimento.

Il modo di dire è:

b. Questo modo di dire nasce forse nei giochi d'azzardo o nel biliardo, giochi nei quali uno che si ritiene superiore dà dei punti di vantaggio ai concorrenti che in genere riesce poi a recuperare con l'abilità e l'astuzia.

Il modo di dire è:

c. Questa espressione fa parte della lingua tecnica del processo di canonizzazione. Prima di includere un beato nel catalogo dei Santi, la chiesa apre un vero e proprio processo in cui un *advocatus Dei*, cerca di provare i meriti in base ai quali avviene la canonizzazione ufficiale, e un promotore della fede, detto *advocatus diaboli*, cerca in ogni argomentazione di dimostrare il contrario, in modo che la decisione non lasci dubbi.

Il modo di dire è:

Quale modo di dire ha lo stesso significato di Saperne una più del diavolo?

____

4 Completa le frasi con i modi di dire dell'esercizio 1 facendo le modifiche necessarie.

1. Uffa! Devi sempre mettere in discussione le mie parole. Ho capito che ti piace ____________________, ma se te lo dico devi credermi!
2. Adesso abito in un quartiere ben collegato al centro, con molto spazio verde. Devo dire che ____________________.
3. Hai invitato sia Emma che Tina alla festa? Ma non lo sai che da quando Emma sta con l'ex di Tina ____________________?
4. Franco ____________________. Aveva studiato per fare il regista ma ora fa solamente la comparsa.
5. Uffa, a quest'ora l'autobus passa ____________________. Figuriamoci poi la domenica! Forse è meglio se torniamo a piedi.
6. Hai visto? Abbiamo protestato e ____________________ e così siamo riusciti ad ottenere un aumento di stipendio e le vacanze pagate.
7. Volevamo fare uno scherzo a Paolo ma lui ha capito tutto prima, è un tipo furbissimo che ____________________.

c. Santi e Vangelo

1 Metti in ordine le parole che formano i modi di dire. 

1. essere San pozzo il Patrizio di	
2. non di uno essere santo stinco	
3. non a santo sapere votarsi che	
4. Vangelo essere il	

2 Leggi i testi. Di quali modi di dire dell'esercizio 1 spiegano l'origine? 

a. Questa espressione deriva dal fatto che nei reliquiari[1] spesso sono conservate parti di scheletro di santi, tra cui molto frequenti e ben visibili sono le ossa della gamba.

Il modo di dire è:

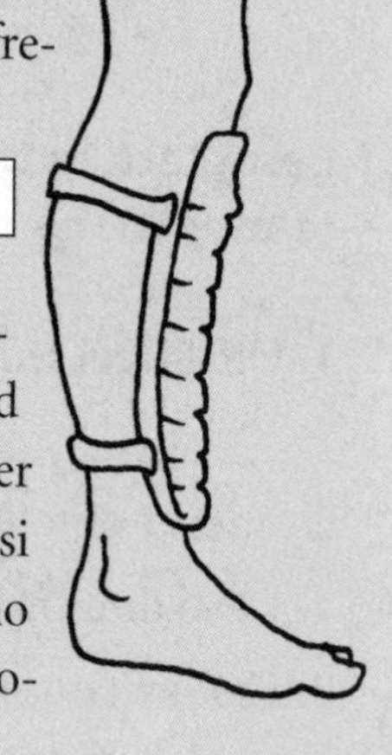

b. L'espressione ha le sue radici nel bisogno primitivo di rivolgersi a qualche divinità nei momenti difficili. I romani, ad esempio avevano delle divinità protettrici per ogni atto, per ogni situazione, dalla nascita alla morte. Questa tradizione si è mantenuta in qualche modo anche nel cristianesimo: sono infatti oltre 12000 i santi della chiesa cattolica, quasi tutti protettori.

Il modo di dire è:

c. In questo modo di dire c'è l'identificazione di un libro con la verità incontestabile. "In verità vi dico" è tra le frasi più frequenti che si possono trovare nel libro che rappresenta per i cristiani la verità rivelata e che non può essere messa in discussione.

Il modo di dire è:

[1] **reliquiario:** è un contenitore, spesso decorato, dove sono conservati i resti del corpo, delle vesti o degli oggetti che appartenevano a un santo.

d. La storia di questo modo di dire è legata ad una leggenda irlandese: in una piccola isola del lago di Derg c'è una caverna che si riteneva fosse l'ingresso del Purgatorio. Quelli che ci entravano e ci rimanevano un giorno e una notte ottenevano l'indulgenza plenaria con la remissione di tutti i peccati. Le cronache raccontano che molti entravano nella grotta ma pochi ne uscivano. Il nome della grotta deriva dal fatto che si riteneva che l'avesse scavata il santo citato per ritirarsi a pregare e fare penitenza. Questa leggenda è riportata anche da Ariosto (Orlando Furioso X, 92).

Il modo di dire è:

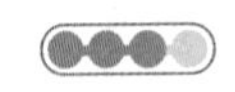

3 **Collega i modi di dire ai significati, come nell'esempio:**

1. Non sapere a che santo votarsi. →	**a.** Essere una persona poco onesta.
2. Essere il Vangelo.	→ **b.** *Non sapere a chi chiedere aiuto.*
3. Essere il pozzo di San Patrizio.	**c.** Essere una verità incontestabile.
4. Non essere uno stinco di santo.	**d.** Avere soldi o energie inesauribili.

Il proverbio

Scegli la spiegazione corretta per questo proverbio.

Scherza coi fanti e lascia stare i santi

1. Se hai la protezione dei santi puoi andare in battaglia tranquillo: vincere sarà facile. ☐

2. Non si può scherzare con tutto, esistono cose e/o persone che sono "sacre" e "intoccabili". ☐

3. Cerca di avere rispetto per la religione e le cose del culto. ☐

d. La croce

1 **Completa i modi di dire con le parole della lista.**

addosso **mettere** **parole** **propria** **sopra**

1. "Abbracciare la ___________ croce" significa accettare la sfortuna e le cose tristi della vita senza reagire.
2. "___________ in croce" significa dare fastidio, tormentare qualcuno.
3. "Farci una croce ___________" significa rinunciare, dimenticare per sempre qualcosa o qualcuno.
4. "Non saper mettere due ___________ in croce" significa parlare poco e senza proprietà di linguaggio.
5. "Dare o gettare la croce ___________ a qualcuno" significa accusare qualcuno di un fatto grave.

2 **Leggi il testo.**

La croce, il pesce e i giochi di parole

La croce è il simbolo cristiano più conosciuto. È una rappresentazione stilizzata dello strumento usato dai Romani per la tortura e l'esecuzione capitale, il supplizio che secondo la tradizione è stato inflitto a Gesù Cristo. Per questo antico uso, la croce, oltre ad essere un simbolo religioso, ha evocato da sempre il dolore e la sofferenza. Tuttavia nei primi secoli di diffusione del cristianesimo il simbolo usato dai cristiani non era la croce, ma un pesce stilizzato, formato da due curve che partono da uno stesso punto, a sinistra (la "testa"), e che si incrociano sulla destra (la "coda"). *Ichthys*, parola greca che significa "pesce", con le sue cinque lettere (i, ch, th, y, s, dell'alfabeto greco) valeva per i primi cristiani come acronimo delle cinque parole che significano "Gesù Cristo Figlio di Dio Salvatore". I primi cristiani scrivevano questo acronimo sui muri, o disegnavano un pesce. Era un graffito pericoloso, una manifestazione di fede proibita; era un gioco di parole serio non solo perché comportava rischio di persecuzione, ma anche perché già prima che si diffondesse il cristianesimo il pesce era un simbolo ricco di significati, anche mistici. Il "pesce stilizzato" veniva inoltre usato come segno di riconoscimento: quando un cristiano incontrava uno sconosciuto di cui aveva bisogno di conoscere la lealtà, tracciava nella sabbia uno degli archi che compongono la figura. Se l'altro completava il segno, i due si riconoscevano come seguaci di Cristo e sapevano di potersi fidare l'uno dell'altro.

3 **Collega le frasi, come nell'esempio. Aiutati con il testo dell'esercizio 2**

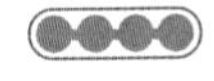

1. La croce è una rappresentazione	**a.** disegnava nella sabbia uno degli archi che compongono il pesce.
2. La croce, oltre al simbolo religioso,	**b.** precedente alla diffusione del cristianesimo.
3. Il pesce era	**c.** un simbolo di riconoscimento per i primi cristiani.
4. Due curve formavano	**d.** ricorda il dolore e la sofferenza.
5. *Ichthys* è una parola greca che significa "pesce"	**e.** il pesce stilizzato.
6. Il pesce era anche un simbolo mistico	**f.** ma è anche l'acronimo di "Gesù Cristo figlio di Dio Salvatore".
7. Un cristiano per capire se il suo interlocutore era della stessa fede	**g.** la figura del pesce significava che era cristiano.
8. Se lo sconosciuto completava	**h.** *stilizzata dello strumento usato dai Romani per l'esecuzione capitale.*

e. Natale e Pasqua

1 **Separa le parole e forma i modi di dire.**

1. *SPARARESULPRESEPIO*

____

Colpire qualcosa che non costituisce pericolo.

2. *NATALEVIENEUNAVOLTALANNO*

____

Si dice per giustificare forti spese in occasioni particolari.

I proverbi

Scegli la spiegazione per questi proverbi.

1. *Natale con i tuoi, Pasqua con chi vuoi.*

2. *L'Epifania tutte le feste si porta via.*

a. Il 6 gennaio è l'ultimo giorno di una serie di festività.

b. Il giorno di Pasqua non si deve passare in famiglia ma il Natale sì.

2 **Collega i nomi dei protagonisti della Pasqua con la descrizione.**

1. Giuda	**a.** Una persona che non crede.
2. Cristo	**b.** Una persona che non vuole responsabilità.
3. Pilato[1]	**c.** Una persona che tradisce.
4. San Tommaso	**d.** Una persona sofferente.

3 **Completa le frasi con i nomi della lista.**

Cristo **Giuda** **Pilato** **San Tommaso**

1. Qualcuno ci ha traditi, ma io penso già di aver capito chi sia il __________ tra di noi.
2. Ma cosa deve fare un povero __________ per stare tranquillo!
3. Devi prenderti questa responsabilità, non fare come __________ che te ne lavi le mani.
4. Michele ha detto che ci aumenteranno lo stipendio ma su questo io sono come __________ e non ci credo finché non lo avrò visto sulla busta paga.

Il proverbio

Scegli la spiegazione corretta per questo proverbio.

Aiutati che Dio ti aiuta.

a. Se vuoi l'aiuto di Dio, prima di tutto aiuta gli altri. ☐
b. Non si può avere l'aiuto di Dio senza pregare. ☐
c. Se vuoi l'aiuto di Dio, non aspettarlo senza fare niente, ma cerca di darti da fare. ☐

[1]**Pilato:** vedi pagina 25.

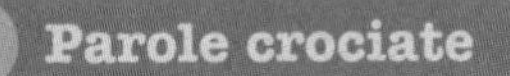
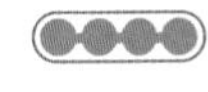

Parole crociate **Ricostruisci i proverbi e i modi di dire e completa le parole crociate.**

Orizzontali ▶

1. Lavarsene le mani come ______________.
6. Entrare ______________ 8-V in ______________ 5-V e uscirne ______________.
9. Ognuno ha la propria ______________.
11. Fare il ______________ 12-O a ______________.
12. Essere come il ______________ e l'______________ 17-O santa.
13. Scatenare l'______________.
15. Stare in ______________ 7-V a dispetto dei ______________.
16. Non sono uno ______________ di santo.
17. Essere come il ______________ 12-O e l'______________ santa.

Verticali ▼

2. Fare l'______________ del ______________ 12-O.
3. Essere il ______________ di ______________ 16-V Patrizio.
4. Ad ogni ______________ di ______________ 8-V.
5. Entrare ______________ 8-V in ______________ e uscirne ______________ 6-O.
7. Voler andare in ______________ in ______________ 10-V.
8. Stare come un ______________.
10. Voler andare in paradiso in ______________.
14. Scherza con i ______________ e lascia stare i ______________ 15-O.
16. Essere il ______________ 3-V di ______________ Patrizio.

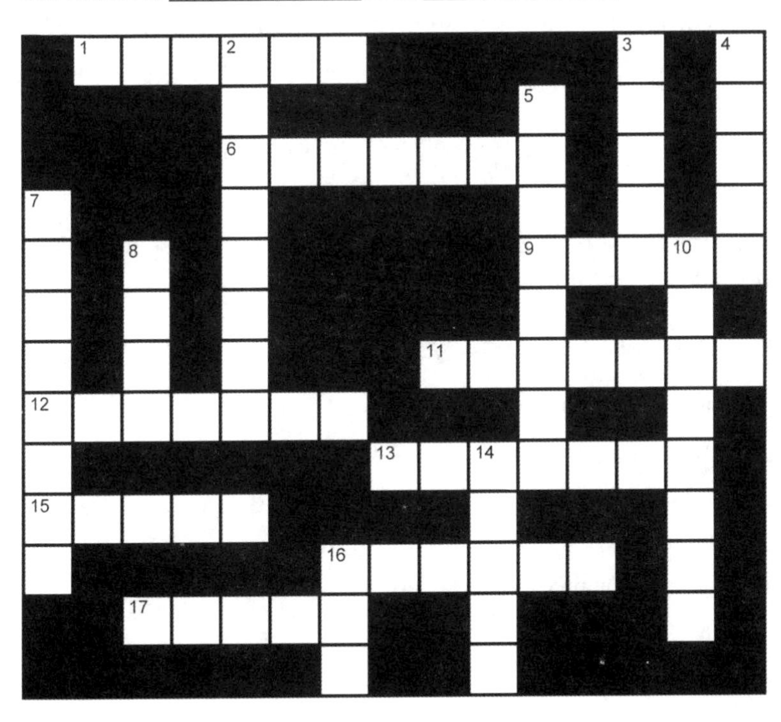

La religione 8

Vita e morte

1 **Completa il testo che spiega il modo di dire Finché c'è vita c'è speranza con le parole della lista.**

astuzia | bellezza | dee | dentro | disperare | doni | donna | inutile | ironicamente | mitologia | radici | vaso

Questo modo di dire è usato generalmente per dichiarare che non bisogna mai __________, anche nelle situazioni più difficili. A volte si dice __________ a coloro che continuano a sperare anche quando oramai è __________. Questo proverbio ha le sue __________ nel detto latino *Spes ultima dea* che ci riporta alla __________ e precisamente al mito di Pandora, la prima __________ sulla terra. Secondo la leggenda, Vulcano, impastando acqua e terra formò la donna a cui le __________ offrirono preziosi __________: Minerva le diede l'attitudine ai lavori femminili, Venere la __________, Mercurio l'__________. Per questi doni fu chiamata Pandora (cioè *tutti i doni*). Gli dei le diedero anche un __________ avvertendola di non aprirlo per nessuna ragione ma Pandora, presa dalla curiosità, aprì il vaso dal quale uscirono malanni e sciagure che si sparsero fra gli uomini. Invano Pandora cercò di chiudere il vaso, ma era troppo tardi, soltanto la speranza rimase __________.

2 **Completa i modi di dire con le preposizioni della lista. Attenzione: in due casi non devi aggiungere niente.**

alla | alle | da | dei | di | di | nel

1. Vivere ______ spalle ______ qualcuno.
2. Vivere ______ mondo ______ sogni.
3. Morire ______ come un cane.
4. Vivere ______ giornata.
5. Vivere in modo ______ spartano.
6. Morire ______ noia.
7. ______ morire.

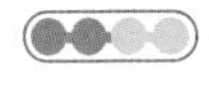

3 Completa le frasi con le parole della seconda colonna. A quali modi di dire dell'esercizio 2 si riferiscono?

a. Vivere in modo ______ senza ______ al futuro. Il modo di dire è:	**1.** pensare **2.** precario
b. Vivere ______ dalla ______. Il modo di dire è:	**1.** realtà **2.** fuori
c. ______ mantenere ______ qualcuno. Il modo di dire è:	**1.** farsi **2.** da
d. Vivere con ______ semplicità e in ______ sobrio. Il modo di dire è:	**1.** modo **2.** grande
e. Morire da solo ______ in ______ brutto ______. Il modo di dire è:	**1.** un **2.** modo **3.** o

4 Completa le frasi con i modi di dire dell'esercizio 2 facendo le modifiche necessarie.

1. Tu ______________________: le tue idee sono completamente assurde e irrazionali!
2. Povera Signora Pina, ______________________. Da sola e dimenticata da tutti.
3. Passare tutta la giornata a guardare te che peschi? Mi vuoi far ______________________.
4. Io mi godo la vita, non penso al futuro. Mi piace ______________________.
5. Ha lasciato il lavoro e si è sposato con una contessa ricchissima. Ma non mi sorprende. Prima sua madre e ora la contessa: gli è sempre piaciuto ______________________.
6. La tua gonna è bellissima, mi piace ______________________.
7. Cosa? Vuoi regalare un DVD a Luigi? Ma non sai che ______________________? Credo che non abbia nemmeno il televisore!

5 Separa le parole e forma i modi di dire.

1. *SCAPPARCIILMORTO*	
2. *SUONAREAMORTO*	
3. *GIOCARECONILMORTO*	
4. *MORTOESEPOLTO*	
5. *ESSEREPALLIDOCOMEUNMORTO*	
6. *DAREQUALCUNOPERMORTO*	
7. *SEMBRAREUNMORTOCHECAMMINA*	
8. *ESSEREUNUOMOMORTO*	
9. *FARELAMANOMORTA*	

6 Indica i significati dei modi di dire dell'esercizio 5, come nell'esempio.

a. Cominciare a fare qualcosa anche se manca una persona.	
b. Avere il colore della pelle molto chiaro, esangue.	
c. Non voler più avere a che fare con qualcuno.	
d. Essere molto malandato.	
e. Un fatto si conclude con la morte accidentale di qualcuno.	
f. Toccare una ragazza facendo finta di averla toccata per errore.	9
g. Essere in una situazione disperata, senza salvezza.	
h. Annunciare la fine di qualcosa.	
i. Passato, finito definitivamente.	

7 **Scegli quali modi di dire della seconda colonna potrebbero sostituire le espressioni evidenziate nella prima colonna, come nell'esempio.**

1. Che facciamo? Aspettiamo Michele per cominciare o ***iniziamo da soli***?
2. Ancora sei geloso di Carla? Ora basta: la vostra è una storia ***definitivamente finita***! Sono passati 7 anni da quando vi siete lasciati!
3. Purtroppo durante la sparatoria ***una persona ha perso la vita***.
4. Che ti è successo? ***Sei di un colore che ha poco a che vedere con lo stare bene***!
5. Oggi un uomo in autobus mi ***ha toccato il sedere***! Io ho cominciato ad urlare e lui è sceso di corsa.
6. Paolo ***non mangia più, non si lava e non si cambia mai i vestiti***, è veramente preoccupante la sua depressione.
7. Non posso chiedere un favore a Giacomo, abbiamo litigato un anno fa e oramai ***non vuole più sapere niente di me***.
8. Da quando ha testimoniato contro il boss, Paolo ***è un uomo finito;*** la mafia ha giurato che gliela farà pagare.

a. *giochiamo con il morto*
b. ci è scappato il morto
c. morta e sepolta
d. sembra un morto che cammina
e. è un uomo morto
f. mi dà per morto
g. sei pallido come un morto
h. ha fatto la mano morta

Parole crociate

Orizzontali ▶
1. Sembrare un morto che ________.
4. ________ alla giornata.
6. Morto e ________.
7. ________ a morto.
9. ________ con il morto.

Verticali ▼
2. Pallido come un ________.
3. Vivere alle ________ di qualcuno.
5. Morire di ________.
6. Vivere nel mondo dei ________.
8. Essere un ________ morto.

9 Vita e morte

Luce e ombra

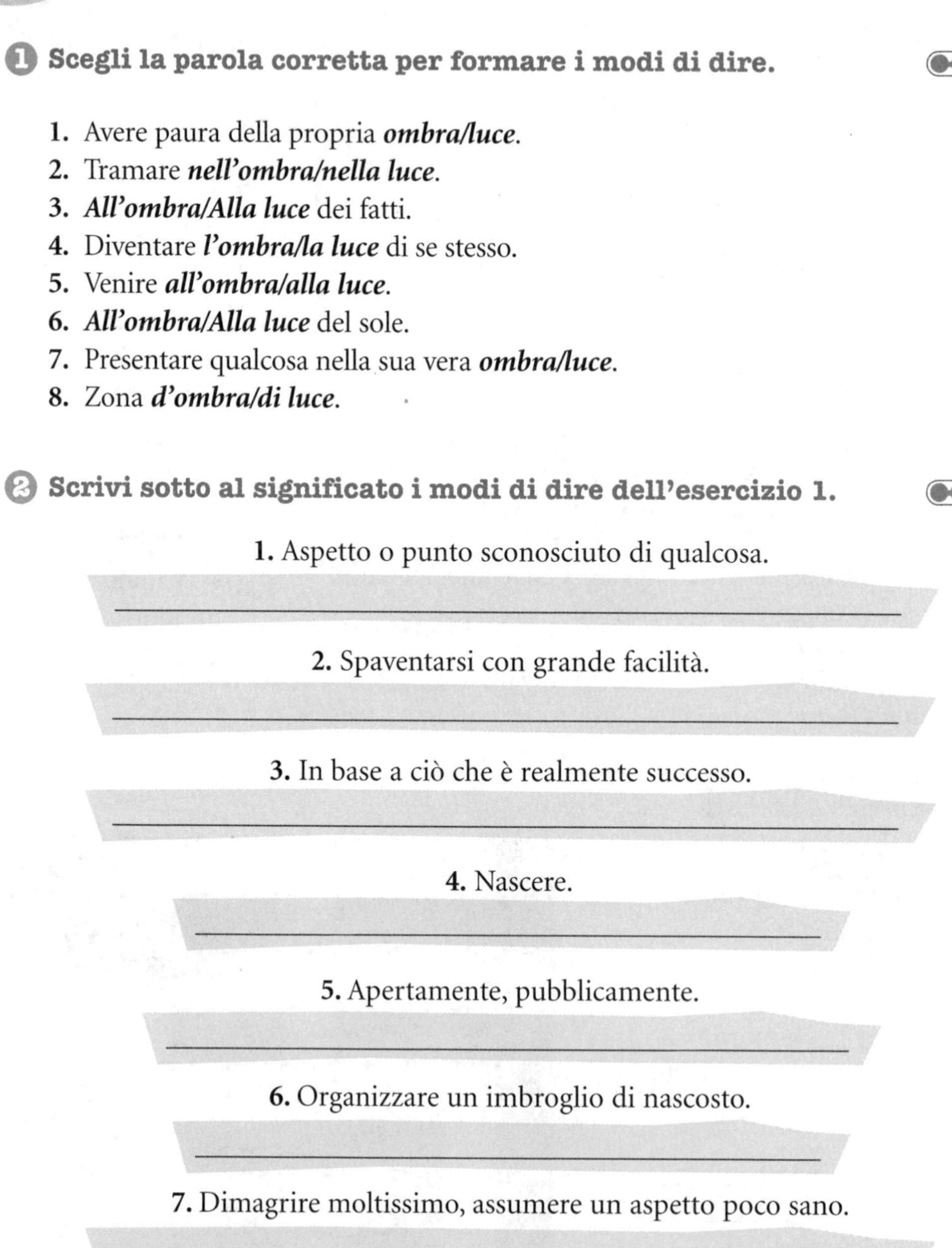

1 Scegli la parola corretta per formare i modi di dire.

1. Avere paura della propria ***ombra/luce***.
2. Tramare ***nell'ombra/nella luce***.
3. ***All'ombra/Alla luce*** dei fatti.
4. Diventare ***l'ombra/la luce*** di se stesso.
5. Venire ***all'ombra/alla luce***.
6. ***All'ombra/Alla luce*** del sole.
7. Presentare qualcosa nella sua vera ***ombra/luce***.
8. Zona ***d'ombra/di luce***.

2 Scrivi sotto al significato i modi di dire dell'esercizio 1.

1. Aspetto o punto sconosciuto di qualcosa.

____

2. Spaventarsi con grande facilità.

____

3. In base a ciò che è realmente successo.

____

4. Nascere.

____

5. Apertamente, pubblicamente.

____

6. Organizzare un imbroglio di nascosto.

____

7. Dimagrire moltissimo, assumere un aspetto poco sano.

____

8. Mostrare qualcosa come è realmente.

____

3 **Leggi il testo. Di quale modo di dire dell'esercizio 1 spiega l'origine?**

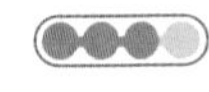

Il filosofo greco Plutarco raccontò la storia di un enorme cavallo di nome Bucefalo che si spaventava per la propria ombra ed era quindi indomabile. Il cavallo venne acquistato da Alessandro Magno, che riuscì a domarlo con uno stratagemma: girò il cavallo di fronte al sole in modo da far proiettare l'ombra dietro l'animale.

Il modo di dire è:

Il proverbio

Scegli la spiegazione corretta per questo proverbio.

Anche un solo capello fa la sua ombra.

a. Anche le cose più piccole e insignificanti possono avere una loro utilità. ☐

b. I capelli sono molto importanti e non devono essere trascurati. ☐

c. Tutti hanno qualcosa da nascondere. ☐

Parole crociate

Orizzontali ▶

4. __________ alla luce.

5. Alla luce del __________.

7. Alla luce dei __________.

8. Avere __________ della propria ombra.

Verticali ▼

1. __________ l'ombra di se stessi.

2. __________ qualcosa nella sua vera luce.

3. __________ nell'ombra.

6. Zona d'__________.

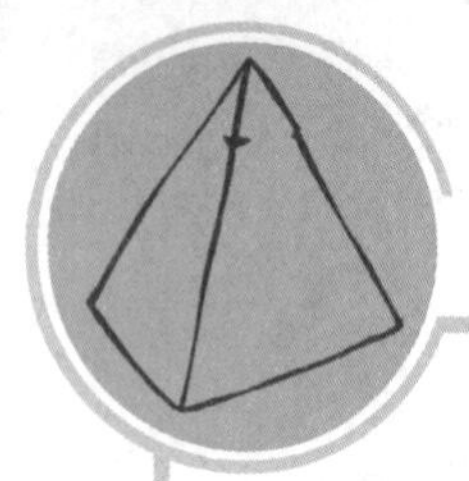

Le gerarchie

1 Metti in ordine sulla piramide gerarchica i personaggi.

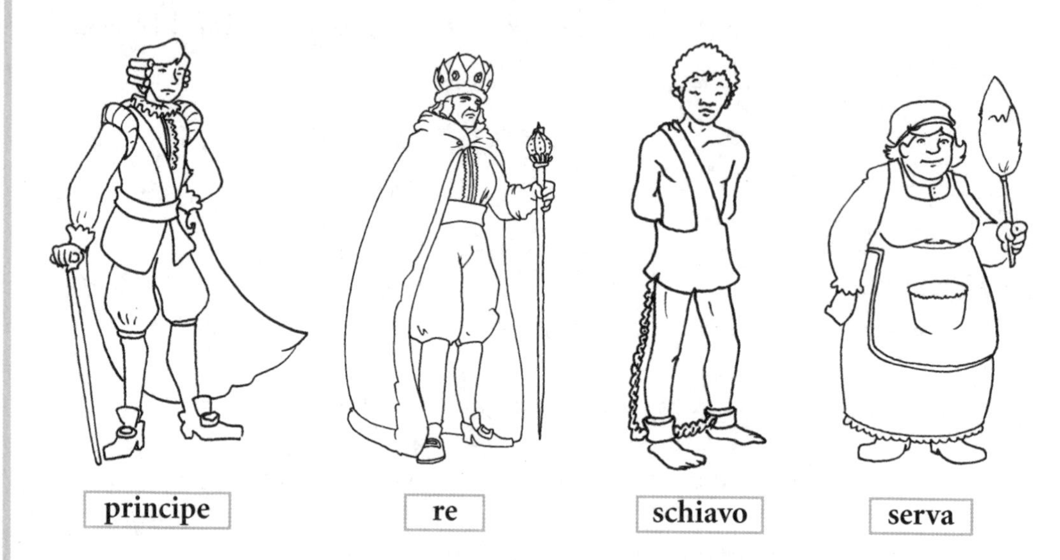

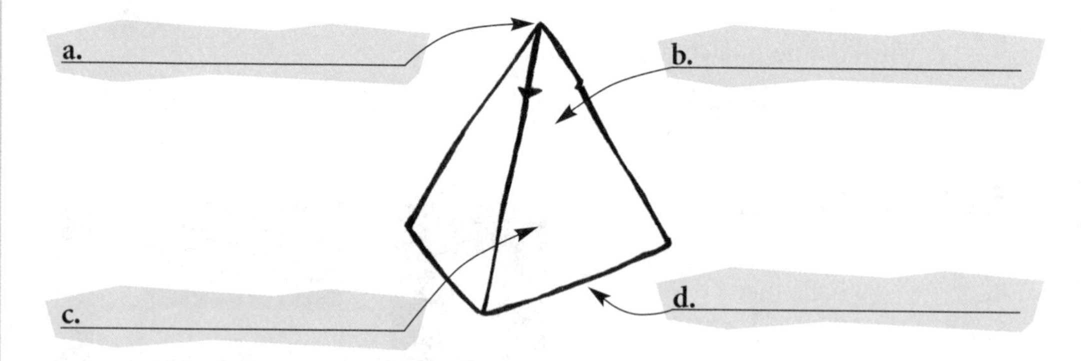

2 Completa i modi di dire con le parole della lista.

1. Essere più realista del __________.
2. Lavorare per il __________ di Prussia.
3. Essere il figlio della __________.
4. Essere amico di tutti e __________ di nessuno.
5. Essere il __________ azzurro.
6. Fare il conto della __________.

principe
re
serva
re
serva
schiavo

3 Scrivi sotto al significato i modi di dire dell'esercizio 2.

1. Essere l'uomo ideale.

____

2. Difendere una causa con più forza di chi è direttamente interessato.

____

3. Mantenere buoni rapporti con tutti senza essere subalterno a nessuno.

____

4. Lavorare a vantaggio degli altri senza averne un profitto.

____

5. Fare un conteggio includendo tutto.

____

6. Essere trattato male, essere emarginato.

____

4 Completa il testo con le parole della lista.

allo **per** **della** **monarchica** **Presidente**

L'espressione *Essere più realista del re* è attribuita ________________ storico Adolphe Thiers, che fu il primo ________________ della Terza Repubblica francese. Thiers avrebbe usato la frase ________________ definire i legittimisti ________________ Restaurazione ________________.

5 Completa le frasi con i modi di dire dell'esercizio 2 facendo le modifiche necessarie.

1. Sappi che non rinuncerò ai miei principi solo perché è il padre di mia moglie. Io ____________________.
2. Sono totalmente innamorata di Dario! ____________________ che aspettavo da tanto tempo!
3. In questa riunione vorrei informarvi del fatto che negli ultimi mesi __________ ____________________: tutto il lavoro che abbiamo fatto non solo è stato inutile, ma ha avvantaggiato il nostro concorrente.
4. Se ____________________ capisco che con lo stipendio che prendo non arrivo a fine mese.
5. Perché non mi invitate mai alle vostre feste e mi emarginate sempre? Non ____________________.

6 **Ricostruisci il testo che spiega l'origine dei modi di dire Essere il principe azzurro e Lavorare per il re di Prussia, mettendo al posto giusto le frasi della seconda colonna. Fa' attenzione alla punteggiatura.**

Il principe azzurro è lo sposo ideale a lungo sognato dalle adolescenti. (_6_) di un film di Filoteo Alberini del 1904, (___) in particolare a quello della *Bella addormentata nel bosco*, *Biancaneve* e *Cenerentola*. Più incerta è l'origine della espressione *Lavorare per il re di Prussia*. (___) Dopo la rottura con Federico il Grande di Prussia, principe illuminato che aveva raccolto alla sua corte filosofi e pensatori, Voltaire si lamenta di aver perso tempo per un sovrano ingrato. Lo accusava infatti di avidità: (___) soldi spesi. (___) dei mercenari, che servivano il re di Prussia all'inizio del Settecento. Altri (___) factotum di San Pietroburgo che riuscì a comprare la neutralità della Russia in una guerra per la conquista della Slesia per 4000 fiorini, che Federico II poi non pagò. Siccome il Bestonjef diceva a tutti "ho lavorato per il re di Prussia", il modo di dire divenne popolare.

1. comprava dai nobili terre a bassissimo prezzo e poi li caricava di tasse per riprendersi i
2. in cui il protagonista fa pensare ai principi delle favole,
3. Altri fanno risalire questo modo di dire alle bassissime paghe
4. ancora attribuiscono l'espressione ad un certo Bestonjef,
5. Alcuni attribuiscono questo modo di dire a Voltaire.
6. *L'espressione ha la sua origine nel titolo*

Il proverbio

Aggiungi il verbo "sapere" dove ti sembra necessario, coniugato al modo e tempo opportuni e completa il proverbio.

chi *non fingere non regnare*

Chi ______________________________

Per esercitare il potere con successo è necessario saper simulare. Questo proverbio traduce in chiave popolare l'idea di Niccolò Machiavelli secondo cui la finzione è essenziale nell'agire politico.

Parole crociate

Ricostruisci i proverbi e i modi di dire e completa le parole crociate.

Orizzontali ▶

1. Essere ______________ ______________ 9-O del ______________ 7-O.

4. Lavorare ______________ 1-V il ______________ 7-O di ______________.

6. Essere amico di ______________ 8-V e ______________ di nessuno.

7. Essere ______________ 1-O ______________ 9-O del ______________.

9. Essere ______________ 1-O ______________ del ______________ 7-O.

10. Essere il ______________ ______________ 5-V.

Verticali ▼

1. Lavorare ______________ il ______________ 7-O di ______________ 4-O.

2. Essere il ______________ della ______________ 6-V.

3. Fare il ______________ della ______________ 6-V.

5. Essere il ______________ 10-O ______________.

6. Essere il ______________ 2-V della ______________.

8. Essere amico di ______________ e ______________ 6-O di nessuno.

I giornali

1 **Completa i titoli degli articoli con le espressioni della lista.**

editto bulgaro | ~~furbetti del quartierino~~ | compagni di merende | mani pulite | scendere in campo | repubblica delle banane

a. Arrestati i "*furbetti del quartierino*".

Roma, 18 aprile 2006. L'imprenditore romano Stefano Ricucci è stato arrestato per truffa e falso nell'ambito delle indagini sulla compravendita dell'importante azienda editoriale Rcs e dei gruppi bancari Antonveneta e BNL (Banca Nazionale del Lavoro). Insieme a lui sono finiti in carcere altri importanti imprenditori, definiti dalla stampa "i furbetti del quartierino".
Questa definizione è stata usata dallo stesso Ricucci per descrivere i comportamenti illegittimi delle banche straniere per acquistare le azioni della Banca d'Italia.

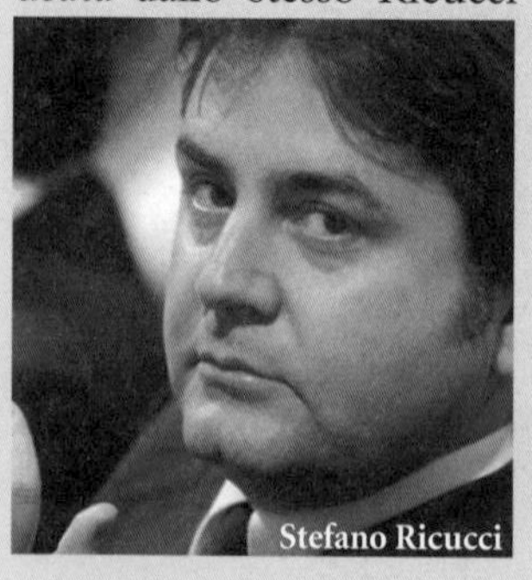
Stefano Ricucci

b. L'inchiesta "_______________________" arriva ai vertici della politica.

Milano, 17 maggio 1992. La procura della Repubblica di Milano, coordinata dal giudice Antonio Di Pietro, ha emesso numerosi mandati di arresto nei confronti di importanti uomini politici e imprenditori. I provvedimenti di arresto fanno parte dell'inchiesta sulla corruzione politica iniziata quattro mesi fa. Nel gennaio scorso, l'ingegner Mario Chiesa era finito in carcere per aver ricevuto una busta con 7 milioni di lire. I soldi, secondo i giudici, erano una parte del pagamento per concedere l'appalto delle pulizie di un ospedale pubblico.

Antonio Di Pietro

c. Pacciani e Vanni: solo "_______________________"?

Firenze, 18 febbraio 1996. Per la prima volta in un tribunale italiano viene usato il termine *serial killer* per definire il presunto assassino Pietro Pacciani, colpevole, secondo l'accusa, dei numerosi omicidi avvenuti nei dintorni di Firenze, tra il 1968 e 1985. Durante il processo è stato

Pietro Pacciani

chiamato a testimoniare Mario Vanni, il quale ha dichiarato di non sapere nulla e di essere solo andato a fare dei pic-nic in compagnia dell'accusato.

d. Silvo Berlusconi: "Il paese ha bisogno di me, devo ____________________ ____________________".

Roma, 23 maggio 1994. L'imprenditore Silvio Berlusconi ha dichiarato di voler entrare nella competizione politica. Nel dare l'annuncio ha usato un'espressione metaforica tipica del gergo calcistico.

Silvio Berlusconi

e. Il presidente della FIAT smentisce la stampa estera: " L'Italia non è una ____________________ ____________________".

Torino, 3 maggio 2001. Non è piaciuta al presidente della FIAT il modo in cui è stata definita l'Italia da molti giornali stranieri. In particolare il presidente della FIAT si è riferito all'inopportuno confronto tra la situazione politica italiana con quella dell'Honduras degli anni cinquanta dove due multinazionali della frutta controllavano l'economia e la politica del paese del Centro America. "In Italia", ha detto il presidente, "non esistono poteri economici che orientano la politica nazionale".

f. Il premier annuncia "l' ____________________".

Sofia, 18 aprile 2002. Durante la visita ufficiale in Bulgaria del primo ministro Silvio Berlusconi si è svolta una conferenza stampa, dove il premier italiano ha dichiarato che in Italia esiste un "uso criminoso" da parte di alcuni giornalisti della tv pubblica. Ha aggiunto di seguito che è un preciso dovere della nuova dirigenza della televisione pubblica impedire il ripetersi di tali eventi.

2 Le espressioni nei titoli degli articoli dell'esercizio 1 sono diventate modi di dire comuni nella lingua italiana. Scrivili sotto al significato.

1. Espressione usata per indicare un gruppo di persone che si riunisce segretamente per tramare qualcosa.

____

2. Espressione che indica qualcosa di imposto in modo autoritario.

____

3. Espressione che indica l'essere onesti.

Avere le _______________

4. Espressione per identificare un gruppo di persone che cerca di ottenere qualcosa incurante delle leggi.

____

5. Espressione che si usa per indicare un paese fortemente condizionato da poteri esterni e/o oscuri.

____

6. Espressione usata quando qualcuno inizia un'impresa.

____

3 Metti in ordine le parole che spiegano il modo di dire Piove, governo ladro!

espressione | governo | un' | contro | di | e | malcontento | responsabile | rabbia | il | di | tutti | i

È _______________

____

_______________ mali.

4 Completa il testo che spiega l'origine del modo di dire **Piove, governo ladro!** con le parole della lista.

didascalia | mazziniani | oppositori | satirica | sotto | Torino | una | vignetta

Il modo di dire *Piove, governo ladro!* deriva dalla ____________ di una ____________ satirica.
Nel 1861 gli ____________ del governo e sostenitori di Giuseppe Mazzini, avevano preparato a ____________ una dimostrazione; ma il giorno fissato pioveva, e la dimostrazione fu annullata. Il Pasquino, ____________ rivista ____________, pubblicò allora una vignetta di Casimiro Teja dove si vedono tre ____________ al riparo della pioggia e ____________ la frase: *"Piove, governo ladro!"*

Parole crociate

Orizzontali ▶

5. Se dici che qualcuno deve essere cacciato imponi un editto __________.
6. Se vuoi fare il politico puoi __________ in campo.
7. Se non sei corrotto hai le mani __________.

Verticali ▼

1. Se piove il governo è __________.
2. Se cercate di arricchirvi in modo illecito siete i __________ del quartierino.
3. Se uno stato è molto corrotto, è una repubblica delle __________.
4. Se vi riunite in incognito siete compagni di __________.

1
2
3
4
5
6
7

Cinema e pubblicità

1 Riscrivi i modi di dire inserendo, dove è necessario, la consonante mancante.

1. *ATRAZIONE FATALE*

____

2. *HO VISTO COSE CHE VOI UMANI*

____

3. *FEBRE DEL SABATO SERA*

____

4. *FACIO COSE VEDO GENTE*

____

5. *DOMANI È UN ALTRO GIORNO*

____

6. *È UNA CAGATA PAZESCA*

____

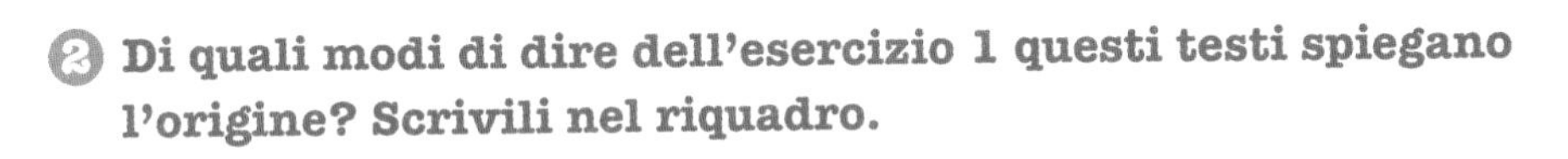
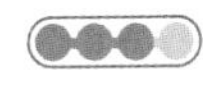

2 Di quali modi di dire dell'esercizio 1 questi testi spiegano l'origine? Scrivili nel riquadro.

1. Dal film *Il secondo tragico Fantozzi*[1] del 1976. In una scena il protagonista ha finalmente il coraggio di proclamare una verità scomoda ma nota a tutti: il film *La corazzata Potemkin* (1925) del regista russo Sergej Ejzenstejn, da sempre ritenuto un capolavoro, è in realtà noiosissimo.

   Il modo di dire è:

2. Citazione dal popolare film *Via col vento* del 1939: è la battuta finale del film, pronunciata dalla protagonista Rossella O'Hara. L'espressione significa "domani le cose andranno meglio".

   Il modo di dire è:

3. Definisce un rapporto sentimentale particolarmente appassionato. Il riferimento è a un film di successo del 1988, girato da Adrian Lyne e interpretato da Michael Douglas e Glenn Close.

   Il modo di dire è:

4. Indica la passione di chi va in giro per locali e discoteche nel fine settimana; è il titolo di un film americano del 1977 con John Travolta.

   Il modo di dire è:

5. È un modo di dire che si è diffuso soprattutto a partire dagli anni Ottanta. Vuol dire "ho visto cose incredibili". L'espressione nasce come citazione da un monologo del film *Blade Runner*[2], di Ridley Scott.

   Il modo di dire è:

6. È una citazione dal film *Ecce Bombo* del 1978 di Nanni Moretti[3]. La frase descrive l'atteggiamento di chi nasconde una vita di ozio e superficialità dietro un'apparenza di molte occupazioni e interessi.

   Il modo di dire è:

[1]**Fantozzi:** personaggio cinematografico ideato e interpretato dall'attore Paolo Villaggio. Il personaggio è la raffigurazione grottesca e satirica dell'uomo privo di qualità sempre pronto ad inchinarsi di fronte al potere.

[2]**Blade Runner:** famoso film di fantascienza del 1982 ispirato da un romanzo di Philip Dick.

[3]**Nanni Moretti:** regista, attore e produttore cinematografico. Le sue opere sono caratterizzate da una visione ironica e sarcastica della società italiana.

3 Completa le descrizioni delle pubblicità inserendo al posto giusto le frasi della colonna destra.

1. La multinazionale *Del Monte* pubblicizza i suoi succhi di frutta tropicale. Da una macchina che (____) esce un uomo elegante vestito di bianco. (____) con un coltello e la mangia. Poi annuisce ad un altro uomo che lo (____). L'uomo pronuncia una frase che è divenuta un modo di dire: è il segnale che serve ai contadini per dare inizio alla raccolta degli ananas.	**a.** sta guardando da lontano con un binocolo **b.** L'uomo raccoglie un ananas, ne taglia una parte **c.** si trova in mezzo a un campo di ananas
2. Una famosa acqua minerale ha la sua caratteristica nelle "bollicine naturali", per le quali non può essere considerata né liscia né gassata. Nella pubblicità ci (____) Leonardo da Vinci. Nella prima i capelli della *Gioconda* sono (____) ricci e nella terza c'è la *Gioconda* (____): i suoi capelli non sono né lisci né ricci.	**a.** sono tre immagini della famosa *Gioconda* di **b.** lisci e lunghi, nella seconda i capelli sono **c.** come noi la vediamo al museo
3. Nella pubblicità dei panettoni *Bistefani* si vede il proprietario di una (____) chiede al suo dipendente quali sono le qualità del panettone che producono. Il pasticciere gli (____) che hanno come risultato l'eccellente panettone. Il proprietario (____) e improvvisamente una barba bianca e un cappello rosso gli compaiono sulla testa.	**a.** elenca le numerose e attente fasi di lavorazione **b.** fabbrica di dolci che **c.** a questo punto pronuncia una frase divenuta poi un modo di dire

4 In quale pubblicità dell'esercizio 3 sono usati questi slogan, poi divenuti dei modi di dire?

a. Ma chi sono io? Babbo Natale? 1.☐ 2. ☐ 3. ☐

b. Liscia, gassata o Ferrarelle? 1.☐ 2. ☐ 3. ☐

c. L'uomo del monte ha detto sì. 1.☐ 2. ☐ 3. ☐

5 **Scegli la spiegazione corretta di ogni modo di dire.**

1. *L'uomo del monte ha detto sì.*	**a.** È una frase ironica usata per dire di sì. ☐ **b.** È una frase ironica usata per sottolineare la lunga attesa di una risposta positiva. ☐ **c.** È una frase ironica usata per dire di no. ☐
2. *Liscia gassata o Ferrarelle?*	**a.** È un modo ironico per presentare diverse possibilità. ☐ **b.** È un modo ironico per rifiutare un invito. ☐ **c.** È un modo ironico per invitare gli amici al bar. ☐
3. *Ma chi sono io: Babbo Natale?*	**a.** È usata per farsi invitare alle feste natalizie. ☐ **b.** È usata per farsi regalare qualcosa. ☐ **c.** È usata per dire che la richiesta implica una generosità eccessiva. ☐

Parole crociate

Orizzontali ▶

1. __________ è un altro giorno.
4. La febbre del sabato __________.
6. Io ho visto cose che voi __________.
7. Ma chi sono io, Babbo __________?
8. L'uomo del __________ ha detto sì!

Verticali ▼

2. __________ fatale.
3. Liscia, gassata o __________?
5. Faccio cose, vedo __________.

Per finire... i numeri

1 Completa i modi di dire, quando è necessario, con le preposizioni della lista.

di | in | per | da | da

1. contare come il due briscola[1]

___

2. fare un quarantotto

___

3. chi ha fatto trenta può fare trentuno

___

4. essere un pezzo novanta

___

5. chi fa sé fa tre

___

6. quattro e quattr'otto

___

2 Leggi i testi seguenti. Di quali modi di dire dell'esercizio 1 spiegano l'origine?

a. Questo modo di dire ha origine nel 1517, quando papa Leone X aveva indetto un concistoro[2] per nominare dei cardinali. Ad un certo momento però, si ricordò di aver dimenticato un religioso di grande merito e aggiunse anche questo alla lista dicendo: "Abbiamo fatto un gran numero di cardinali, possiamo farne uno in più".

Il modo di dire è:

b. L'espressione ha origine nel 1848, l'anno delle rivoluzioni e delle insurrezioni in tutta Europa. In Italia sono famose le cinque giornate di Milano e le insurrezioni di Napoli, Messina e Venezia.

Il modo di dire è:

[1]**briscola:** tradizionale gioco di carte.
[2]**concistoro:** solenne assemblea di cardinali convocata dal papa per discutere e definire importanti questioni religiose.

c. Molti ritengono che il significato di questo modo di dire sia da collegare al numero più alto della tombola e del gioco del lotto attribuendogli quindi il significato di "numero più alto".

Il modo di dire è:

d. Ha origine da un gioco di carte italiano per due o quattro giocatori che si fa con un mazzo da quaranta carte. Il due è la carta che vale meno di tutte le altre.

Il modo di dire è:

3 **A quale modo di dire si riferisce questo disegno?**

____

4 **Scrivi sotto al significato i modi di dire dell'esercizio 1.**

1. Fare confusione, disordine, provocare liti.

____

2. Non avere valore.

____

3. Chi vuole curare i propri interessi deve farlo da solo.

____

4. Essere una persona che gode di grande autorità e prestigio.

____

5. Quando si è fatta una gran parte del lavoro conviene finirlo.

____

6. Rapidamente, in pochissimo tempo.

____

5 Completa le frasi con i modi di dire dell'esercizio 1 facendo le modifiche necessarie.

1. • Hai montato la libreria tutto da solo?
   • Sì, ________________________.
2. Siamo stanchi delle vostre solite promesse, adesso dovete darci quello che ci avete garantito altrimenti ________________________.
3. Sarebbe una "normale" storia di corruzione se la persona coinvolta non ________________________ della mafia.
4. Mi dispiace, non posso aiutarti per le tue ferie, lo sai che ________________________ e non ho nessun potere.
5. Non puoi fermarti ora, hai praticamente finito... ancora un piccolo sforzo: ________________________.
6. Mentre ero al mercato a fare la spesa, i ladri sono entrati in casa e ________________________ mi hanno rubato tutto!

6 Leggi il testo.

"Le cricche dei giovanotti erano aumentate, e chi a cavalcioni di un motorino si preparava a andare dentro Roma, e chi ci tornava, tutti schiamazzando e facendo il quarantotto."

da Pier Paolo Pasolini, *Una vita violenta*, 1959

7 Cerca nel testo precedente le parole o le espressioni corrispondenti ai significati e scrivile nella forma base.

1. ________________ - *verbo*. Emettere grida stridule e roche, in tono alto e acuto, far baccano.
2. ________________ ________________ - *locuzione avverbiale*. Con una gamba da una parte e una dall'altra del supporto su cui si sta seduti.
3. ________________ - *sostantivo*. Gruppo di persone unite allo scopo di aiutarsi e favorirsi a vicenda, anche a danno degli altri.

I proverbi

Metti in ordine le parole che formano i proverbi.

1. c'è due non senza tre

____

Se una cosa si ripete per due volte sicuramente accadrà anche una terza volta.

2. a fa male nessuno non per uno uno

____

Bisogna dividersi equamente oneri e onori.

Parole crociate

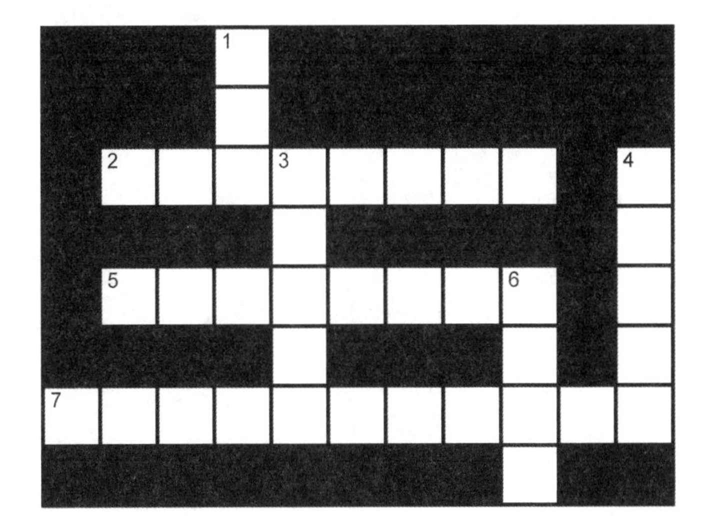

Orizzontali ▶

2. Contare come il due di __________.

5. Chi ha fatto trenta può fare __________.

7. Fare un __________.

Verticali ▼

1. __________ fa da sé fa per tre.

3. Non c'è due __________ tre.

4. Essere un __________ da novanta.

6. In quattro e quattr'__________.

Soluzioni

Capitolo 1. Per iniziare... le lettere

1. 1. un'acca; 2. zeta; 3. puntini; 4. Imparare; 5. un'acca; 6. morta.
2. 1. *non vale un'acca*, non capisci un'acca; 2. è restato lettera morta; 3. dalla A alla zeta; 4. mettere i puntini sulle i; 5. imparare l'abc.
3. 1. vero; 2. falso; 3. falso; 4. vero.
4. (...) Successe un disastro. Le c**h**iese, rimaste senz'acca crollarono. I c**h**ioschi, diventati troppo leggeri volarono, seminando giornali, birre, aranciate e granatine di g**h**iaccio ovunque. Dal cielo caddero i c**h**erubini, levargli l'acca era come levargli le ali. Le c**h**iavi non aprivano più, e c**h**i era rimasto fuori casa dovette dormire all'aperto. Le c**h**itarre perdettero tutte le corde e non potevano più suonare. Non vi dico il C**h**ianti, senz'acca, c**h**e sapore disgustoso. Del resto non si poteva berlo, perc**h**é i biccc**h**ieri sc**h**iattavano in mille pezzi. I c**h**iodi si squagliavano sotto il martello peggio c**h**e fosse stato burro. Alla fine l'Acca fu scoperta vicino al Brennero mentre tentava di entrare clandestinamente in Austria, perc**h**é non aveva il passaporto. Ma dovettero pregarla in ginocc**h**io: "Resti con noi, senza di lei non riusciamo a pronunciare nemmeno il nome di Dante Alig**h**ieri. Guardi, qui c'è una petizione degli abitanti di C**h**iavari, c**h**e le offrono una villa al mare. E questa è una lettera del capo stazione C**h**iusi-C**h**ianciano". L'Acca era di buon cuore, ve l'**h**o già detto. È rimasta, con gran sollievo del verbo chiacchierare e del pronome chicchessia. Ma bisogna trattarla con rispetto altrimenti scapperà di nuovo. Per me che sono miope, sarebbe gravissimo; con gli occ**h**iali senz'acca non ci vedo da qui a lì.

Capitolo 2. Il corpo umano

a. Le parti del corpo

1.

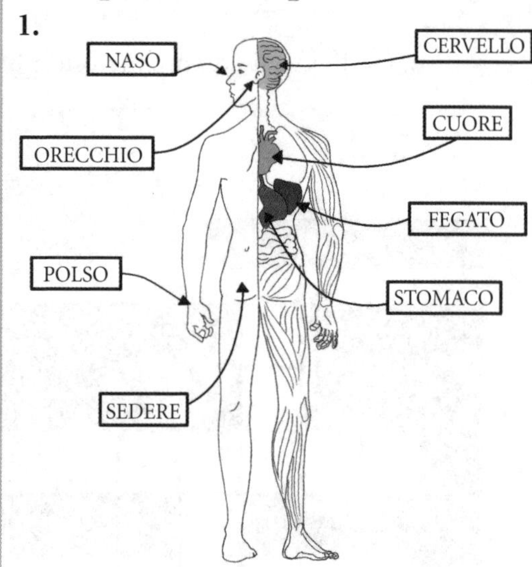

2. 1. orecchio; 2. culo; 3. naso; 4. stomaco; 5. polso; 6. fegato; 7. cuore; 8. cervello.
3. 4, 1, 5, 3, 2
5. *1a*, 2c, 3f, 4e, 5g, 6b, 7d.
6. 1. Avere l'acqua alla gola; 2. Essere un pugno in un occhio; 3. In un batter d'occhio; 4. Avere il cuore in gola; 5. Avere un buco allo stomaco; 6. Avere uno scheletro nell'armadio.
7. a. Essere un pugno in un occhio; b. Avere un buco allo stomaco.
8. 1. Essere un pugno in un occhio; 2. In un batter d'occhio; 3. Avere un buco

allo stomaco 4. Avere l'acqua alla gola; 5. Avere uno scheletro nell'armadio; 6. Avere il cuore in gola.

9. 1. Ho l'acqua alla gola; 2. hanno uno scheletro nell'armadio; 3. in un batter d'occhio; 4. ho un buco allo stomaco; 5. è un pugno in un occhio; 6. ho avuto il cuore in gola.

Il proverbio:
Mente sana **in** corpo sano.

b. La testa

1. 1. Far girare la testa; 2. Fare una testa come un pallone; 3. Perdere la testa; 4. Montarsi la testa; 5. Essere una testa calda; 6. Mettersi qualcosa in testa; 7. Tenere testa; 8. Scommetterci la testa.

2. a. Fare una testa come un pallone; b. Far girare la testa.

3. *1e*, 2f, 3a, 4c, 5b, 6g, 7d, 8h.

Il proverbio:
Cosa fatta capo ha.

c. Gli occhi

1. 1. A quattr'**occhi**; 2. A **occhio nudo**; 3. Avere sott'**occhio**; 4. Alzare **gli occhi** al cielo; 5. Non credere **ai propri occhi**; 6. Anche **l'occhio vuole** la sua parte; 7. A **occhio** e croce; 8. Aprire **gli occhi**.

2. *1e*, 2d, 3f, 4c, 5h, 6b, 7g, 8a.

3. a. A occhio nudo; b. A quattr'occhi; c. Alzare gli occhi al cielo.

4. *In* astronomia è un'espressione che indica le osservazioni condotte senza l'ausilio **di** nessuno strumento, come telescopi o binocoli, ma solo mediante l'occhio umano. Si utilizza **in** riferimento **a** corpi e fenomeni celesti visibili **da** chiunque, come i pianeti più vicini **alla** Terra, le stelle, alcune comete e alcuni sciami di meteore.
A occhio nudo.

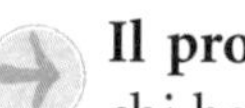

Il proverbio: *Nella terra* dei ciechi chi ha un occhio è un signore.

d. Il naso

1. 1. palmo, deluso, dire, gesto, sulla, naso, aperto, rotatorio, si chiama.

2. 1.a, di; 2. per; 3. col, all'; 4. negli, di; 5. in, del.

3. *1e*; 2a; 3c; 4d; 5b.

Il proverbio:
Le bugie hanno il naso lungo.

e. La bocca

1. 1. Rimanere a bocca aperta; 2. Essere sulla bocca di tutti; 3. Non aprire bocca; 4. Tenere la bocca cucita.

2. 1. Terrò/Tengo la bocca cucita; 2. è sulla bocca di tutti; 3. Non hai aperto bocca; 4. è rimasto/-a a bocca aperta.

Il proverbio: A caval donato non si guarda in bocca.

f. Il cervello

1. 1. Avere il cervello che fuma; 2. Avere un cervello da gallina; 3. Bersi il cervello; 4. Fare il lavaggio del cervello; 5. Non mi passa neppure per l'anticamera del cervello; 6. Uscire di cervello.

2. a. Fare il lavaggio del cervello; b. Avere il cervello che fuma.

3. *1e*, 2c, 3a, 4b, 5d, 6f.

Il proverbio: b.

g. La mano

1. 1. Metterci **la mano** sul fuoco; 2. Forzare **la mano**; 3. Avere **le mani** in pasta; 4. Mettere **le mani** avanti; 5. **Una mano** lava l'altra; 6. Avere **le mani** bucate; 7. Stare con **le mani** in mano; 8. Dare **una mano**; 9. Venire **alle mani**; 10. Lavarsene **le mani**.

2. neanche, nelle, anche, dalle, neanche, anche, dalle, per le.
3. a. Mettere le mani avanti; b. Lavarsene le mani; c. Avere le mani in pasta; d. Stare con le mani in mano; e. Una mano lava l'altra; f. Avere le mani bucate; g. Venire alle mani; h. Dare una mano; i. Forzare la mano; l. Metterci la mano sul fuoco.
4. Avere le mani bucate.
5. a. metterci la mano sul fuoco; b. una mano lava l'altra; c. avere le mani in pasta; d. forzare la mano; e. lavarsene le mani.
6. 1. viene alle mani; 2. ha le mani bucate; 3. mettono/hanno messo le mani avanti; 4. stare con le mani in mano; 5. ha dato una mano.

 **Il proverbio:** a.

Parole crociate:

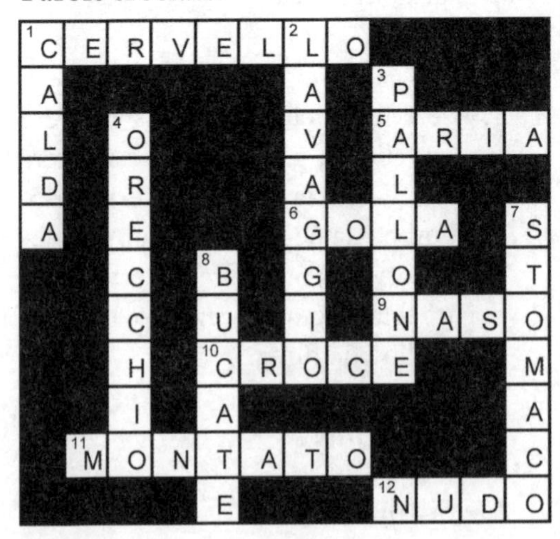

Capitolo 3. I vestiti

1. *Trattare con i guanti bianchi*; Portare i pantaloni; Nascere con la camicia; Appendere il cappello al chiodo; Cascarci con tutte le scarpe; Restare in mutande; Stracciarsi le vesti.
2. a. Restare in mutande; b. Trattare con i guanti bianchi.
3. a. stracciarsi le vesti; b. nascere con la camicia.
4. 2, *4*, 6, 5, *1*, 3.

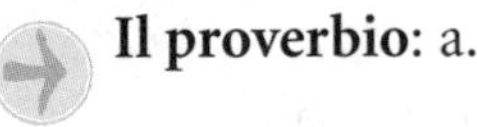 **Il proverbio**: a.

5. 1a; 2b; 3b; 4c; 5c; 6b; 7a.
6. 1. è nato con la camicia; 2. è un altro paio di maniche; 3. appendere il cappello al chiodo; 4. ci sono cascato con tutte le scarpe; 5. stracciarsi le vesti; 6. Sono restato in mutande; 7. porto i pantaloni; 8. hanno trattato con i guanti bianchi.

Parole crociate:

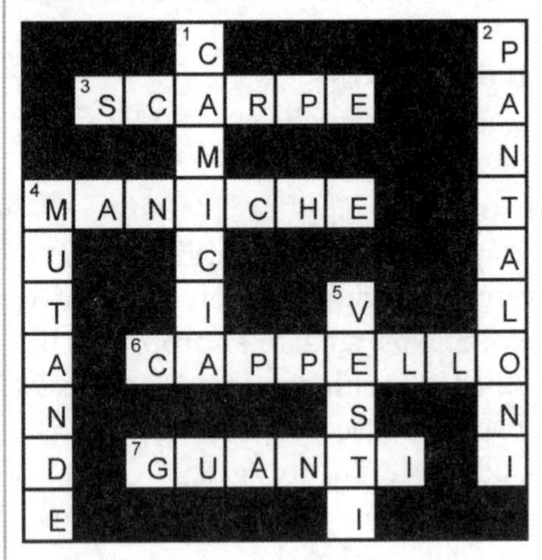

Capitolo 4. Gli animali

a. Il pesce

1. 1e; 2c; 3b; 4a; 5d.
2. 1. Buttarsi a pesce; 2. Essere un pesce fuor d'acqua; 3. Trattare a pesci in faccia; 4. Essere muto come un pesce; 5. Essere un pesce in un barile.

I proverbi: 1. *Il pesce* puzza dalla testa; 2. *Il pesce* grosso mangia quello piccolo; 3. *Chi dorme* non piglia pesci; 4. *L'ospite* è come il pesce: dopo tre giorni puzza.

3. a. 2, 1, 3: l'ospite è come il pesce: dopo tre giorni puzza; b. 3, 1, 2: il pesce puzza dalla testa; c. 1, 2: chi dorme non piglia pesci; d. 2, 1: il pesce grosso mangia quello piccolo.

4. il pesce puzza dalla testa.

b. Il gatto

1. 1. Essere come cane e **gatto**; 2. **Gatta** ci cova; 3. Essere **una gatta morta**; 4. Avere sette vite come **un gatto**; 5. Giocare come **il gatto** con il topo.

2. 1c; 2b; 3a; 4c; 5a.

3. *1d*; 2c; 3e; 4b; 5a.

4. essere una gatta morta.

Il proverbio: c.

c. Il cane

1. 1. Can che abbaia non morde; 2. Cane non mangia cane; 3. Fare una vita da cani; 4. Menar il can per l'aia; 5. Essere fortunati come i cani in chiesa; 6. Voler drizzare le gambe ai cani.

2. Can che abbaia non morde.

3. a. cane non mangia cane; b. menar il can per l'aia.

4. 1. Menar il can per l'aia; 2. Essere fortunati come i cani in chiesa; 3. Fare una vita da cani; 4. Cane non mangia cane; 5. Voler drizzare le gambe ai cani; 6. Can che abbaia non morde.

5. 1. svegliare; 2. Trattare; 3. Battere; 4. Stare; 5. Portare.

6. 1. battendo il cane al posto del padrone; 2. porta rispetto al cane per amore del padrone; 3. ha trattato/-a come un cane; 4. non svegliare il can che dorme; 5. sto come il cane alla catena.

d. Gli animali feroci

1. a. orso; b. volpe; c. sciacallo; d. leone; e. tigre; f. lupo.

2. *1c*; 2b; 3d; 4f; 5e; 6a.

3. a. essere una tigre di carta; 2. in bocca al lupo!

4. a cavallo della tigre.

e. La mosca

1. 1. mosche; 2. Morire; 3. naso; 4. bianca; 5. male; 6. cocchiera; 7. volare.

2. a. Morire come le mosche; b. Essere una mosca bianca; c. Far saltare la mosca al naso.

3. 1. è rimasto con un pugno di mosche; 2. non si sente volare una mosca; 3. non farebbe male a una mosca; 4. morivano come le mosche; 5. è una mosca bianca; 6. fa saltare la mosca al naso; 7. è la mosca cocchiera.

4. carrozzone, cavalli, saliva, viaggiatori, salita, alleggerire, sudavano, mosca, ronzare, muso, naso, tetto, legge, parlano, spalle, strada, frusta, trotto, grazie.

Il proverbio: Meglio un asino vivo che un dottore *morto*.

f. Il becco e la cresta

1. 1. Abbassare **la cresta**; 2. Essere **sulla cresta** dell'onda; 3. Tenere **il becco chiuso**; 4. Non avere **il becco** di un quattrino; 5. Fare **la cresta** sulla spesa; 6. Essere **becco** e bastonato.

2. 1. hai fatto la cresta sulla spesa; 2. è sulla cresta dell'onda; 3. tenere il becco chiuso; 4. non ho il becco di un quattrino; 5. è becco e bastonato; 6. abbassare la cresta.

3. fare la cresta.

g. Le ali, la coda e le zampe

1. 1a; 2b; 3a; 4c; 5c; 6c; 7a.
2. avere la coda di paglia.

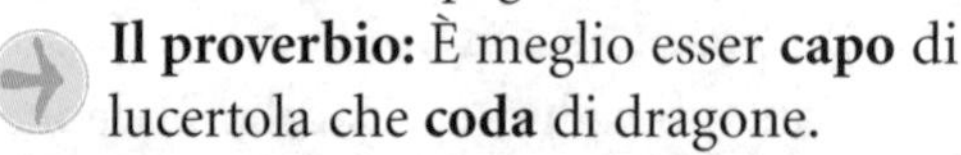
Il proverbio: È meglio esser **capo** di lucertola che **coda** di dragone.

Parole crociate:

Capitolo 5. Cibo e bevande

a. Mangiare e bere

1. 1. a; 2. Bere; 3. la; 4. affogare; 5. cani; 6. bere.
2. mangiare la foglia.
3. 1. o beviamo o affoghiamo; 2. mangia a sbafo; 3. beve come una spugna; 4. mangia da cani; 5. darla a bere; 6. abbia mangiato la foglia.
4. l'appetito vien mangiando.

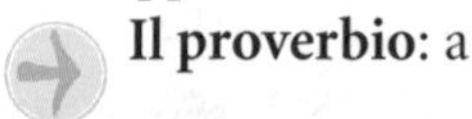
Il proverbio: a

b. Il pane

1. Trovare il pane per i propri denti.
2. c. (le altre due spiegazioni si riferiscono ai modi di dire: a. Anche tu, o Bruto, figlio mio? b. Tutto va ben madama la marchesa).
3. 1c; 2a.

Il proverbio: La fame è il miglior *companatico*.

c. Il vino

1. 1. Finire a tarallucci e vino; 2. Domandare all'oste se il vino è buono; 3. Reggere il vino; 4. Levare il vino dai fiaschi; 5. Dire pane al pane e vino al vino; 6. Consumare più vino che olio.
2. Reggere il vino.
3. *1c*; 2e; 3f; 4d; 5a; 6b.

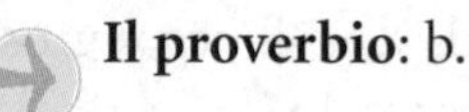
Il proverbio: b.

Parole crociate:

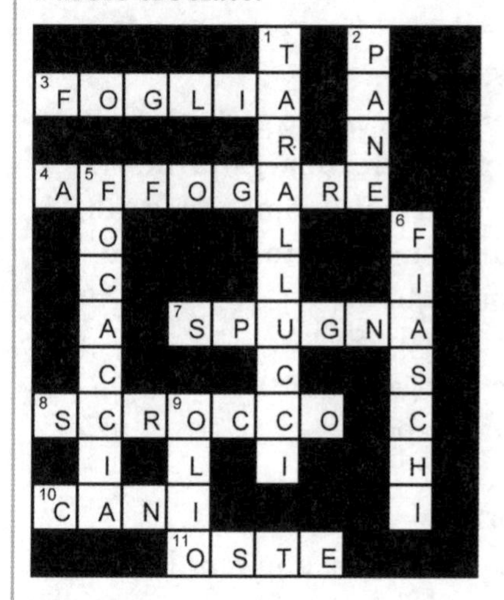

Capitolo 6. Piangere e ridere

1. 1. tasca; 2. Ingoiare; 3. coccodrillo; 4. sangue; 5. calde.
2. *rive*, sassi, rimbalzare, emerge, fauci, afferra, divora, fugge, gridando, sdegno, rimorsi, commettere, galla, singhiozzando. **Piangere lacrime di coccodrillo**.
3. 1. Sudare lacrime e sangue; 2. Piangere lacrime di coccodrillo; 3. Piangere a calde lacrime; 4. Avere le lacrime in tasca; 5. Ingoiare le lacrime.
4. *1c*; 2b; 3e; 4a; 5d.

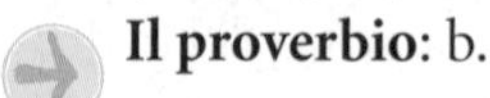
Il proverbio: b.

5. *1c*; 2b; 3d; 4a; 5e.

6. a. Ridere sotto i baffi; b. Sbellicarsi dalle risate.
7. *1b*; 2c; 3a; 4e; 5d.

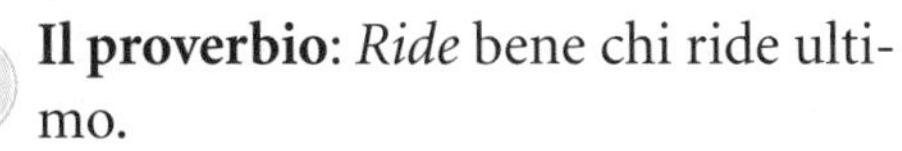

Il proverbio: *Ride* bene chi ride ultimo.

Parole crociate:

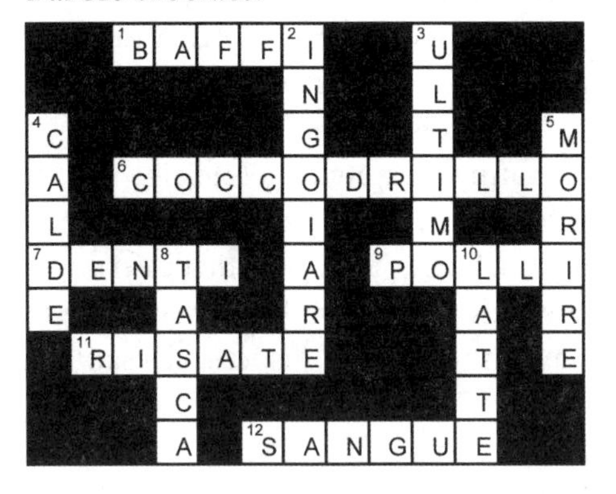

Capitolo 7. Lo spazio e i luoghi

a. Luoghi speciali

1.

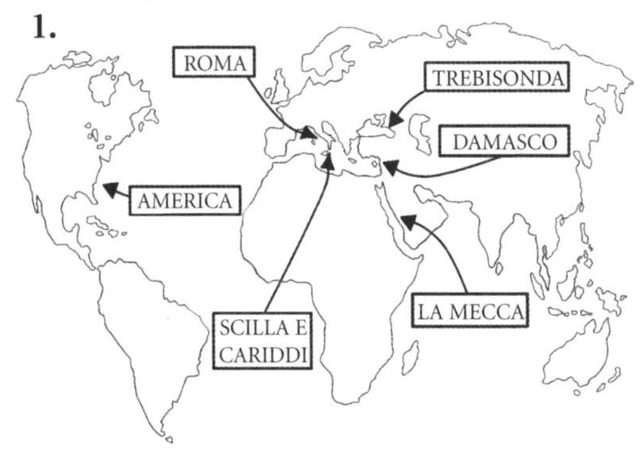

2. 1. Scoprire; 2. America; 3. Venire.
3. 1d; 2c; 3b; 4a.
4. 1. Hai scoperto l'America; 2. tutte le strade portano a Roma; 3. ho perso la Trebisonda; 4. ho trovato l'America; 5. sono tra Scilla e Cariddi; 6. è stato folgorato sulla via di Damasco; 7. vieni dalla Mecca.

b. Il mondo intero

1. 1. all'altro; 2. Mandare; 3. qualsiasi; 4. crollare; 5. fine; 6. Mettere; 7. capo.
2. 1. andare in capo al mondo; 2. andrai/vai all'altro mondo; 3. ha messo al mondo; 4. si è sentito crollare il mondo addosso; 5. ha mandato all'altro mondo; 6. cascasse il mondo; 7. è la fine del mondo.

Il proverbio: Tutto il mondo è paese.

c. Il mare

1. *1d*; 2e; 3a; 4b; 5c.
2. 1. Essere in alto mare; 2. Cercare per mari e per monti; 3. Essere in un mare di guai; 4. Essere l'ultima spiaggia; 5. Essere un porto di mare.
3. a. Essere un porto di mare; b. Essere in alto mare.
4. promettere mari e monti.
5. a.
6. 1. sono in un mare di guai; 2. ho cercato per mari e per monti; 3. È l'ultima spiaggia; 4. è un porto di mare; 5. sono in alto mare.

Il proverbio: L'acqua corre al mare.

d. La montagna

1. 1. topolino; 2. Smuovere; 3. all'origine; 4. monte.
2. Smuovere le montagne.
3. *Nell'espressione "Mandare a monte"*, che originariamente significava finire una partita a carte, il "monte" si riferisce al mazzo di carte da distribuire ai giocatori. Dal linguaggio del gioco delle carte, l'espressione è poi passata alla lingua di tutti i giorni con il significato di "terminare improvvisamente, far fallire un'attività".
4. 1. a monte; 2. smuovere le montagne; 3. facendo di un topolino una montagna; 4. mandare a monte.

e. L'aria

1. 1. Buttare tutto all'aria. 2. Aria fritta; 3. Prendere una boccata d'aria; 4. Capire che aria tira; 5. Saltare in aria; 6. Andare a gambe all'aria.
2. a. Saltare in aria; b. Buttare tutto all'aria.
3. 1. Saltare in aria; 2. Buttare tutto all'aria; 3. Prendere una boccata d'aria; 4. Capire che aria tira; 5. Aria fritta; 6. Andare a gambe all'aria.
4. 1. aria fritta; 2. prendere una boccata d'aria; 3. hai buttato tutto all'aria; 4. è saltato in aria; 5. ha capito che aria tira/tirava; 6. è andato a gambe all'aria.

Il proverbio: Moglie e buoi **dei** paesi tuoi.

Parole crociate:

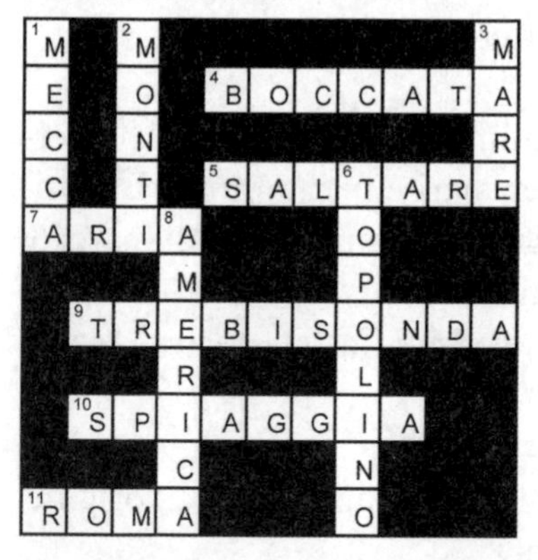

Capitolo 8. La religione

Parole crociate:

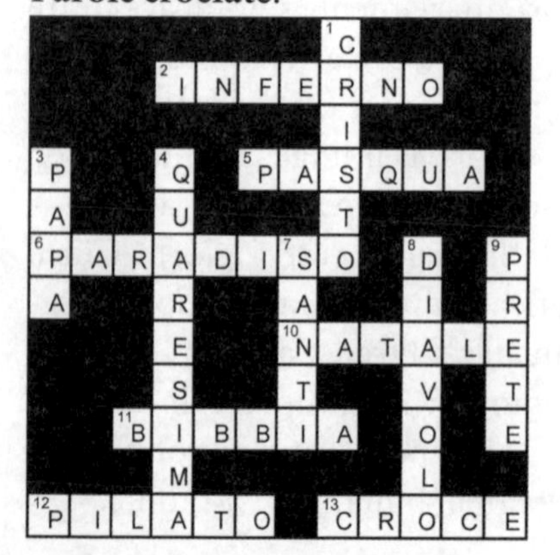

a. Inferno e Paradiso

1. 1c; 2a; 3b; 4b; 5c; 6a.
2. 1. Mandare qualcuno **all'inferno**; 2. Avere qualche santo **in paradiso**; 3. Scatenare **l'inferno**; 4. Patire le pene **dell'inferno**; 5. Stare **in paradiso** a dispetto dei santi; 6. Voler andare **in paradiso** in carrozza.
3. *1b*; 2a; 3d; 4f; 5e; 6c.
4. 1. hanno scatenato l'inferno; 2. vai all'inferno; 3. ha qualche santo in paradiso; 4. ho patito le pene dell'inferno; 5. vuoi andare in paradiso in carrozza; 6. stava in paradiso a dispetto dei santi.

b. Il diavolo e il papa

1. 1. il, l'; 2. il, a; 3. l', del; 4. dei, al; 5. Ad, di; 6. un; 7. in.
2. 1. Fare il diavolo a quattro; 2. Dare dei punti al diavolo; 3. Essere come il diavolo e l'acqua santa; 4. Ad ogni morte di papa; 5. Fare l'avvocato del diavolo; 6. Entrare papa in conclave e uscirne vescovo; 7. Stare come un papa.
3. a. fare il diavolo a quattro; b. dare dei punti al diavolo; c. fare l'avvocato del diavolo. **Dare dei punti al diavolo**.
4. 1. fare l'avvocato del diavolo; 2. sto come un papa; 3. sono come il diavolo e l'acqua santa; 4. è entrato papa in conclave e ne è uscito vescovo; 5. ad ogni morte di papa; 6. abbiamo fatto il diavolo a quattro; 7. dà dei punti al diavolo.

c. Santi e Vangelo

1. 1. Essere il pozzo di San Patrizio; 2. Non essere uno stinco di santo; 3. Non sapere a che santo votarsi; 4. Essere il Vangelo.

2. a. non essere uno stinco di santo; b. non sapere a che santo votarsi; c. essere il Vangelo; d. essere il pozzo di San Patrizio.
3. *1b*; 2c; 3d; 4a.

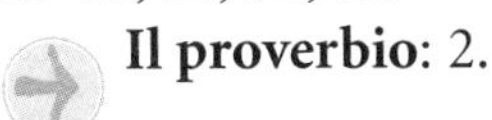

Il proverbio: 2.

d. La croce

1. 1. propria; 2. Mettere; 3. sopra; 4. parole; 5. addosso.
3. *1h*; 2d; 3c; 4e; 5f; 6b; 7a; 8g.

e. Natale e Pasqua

1. 1. Sparare sul presepio; 2. Natale viene una volta l'anno.

I proverbi: 1b; 2a.

2. 1c; 2d; 3b; 4a.
3. 1. Giuda; 2. Cristo; 3. Pilato; 4. San Tommaso.

Il proverbio: c.

Parole crociate:

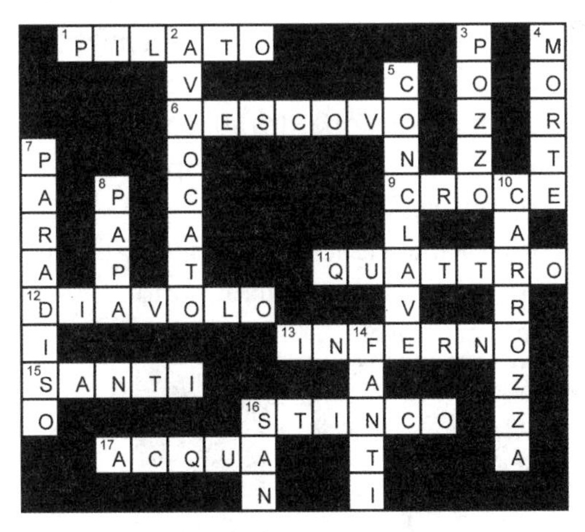

Capitolo 9. Vita e morte

1. disperare, ironicamente, inutile, radici, mitologia, donna, dee, doni, bellezza, astuzia, vaso, dentro.
2. 1. alle, di; 2. nel, dei; 3.-; 4. alla; 5.-; 6. di; 7. Da.
3. a. 2, 1: vivere alla giornata; b. 2, 1: vivere nel mondo dei sogni; c. 1, 2: vivere alle spalle di qualcuno; d. 2, 1: vivere in modo spartano; e. 3, 1, 2: morire come un cane.
4. 1. vivi nel mondo dei sogni; 2. è morta come un cane; 3. morire di noia; 4. vivere alla giornata; 5. vivere alla spalle di qualcuno; 6. da morire; 7. vive in modo spartano.
5. 1. Scapparci il morto; 2. Suonare a morto; 3. Giocare con il morto; 4. Morto e sepolto; 5. Essere pallido come un morto; 6. Dare qualcuno per morto; 7. Sembrare un morto che cammina; 8. Essere un uomo morto; 9. Fare la mano morta.
6. a3; b5; c6; d7; e1; *f9*; g8; h2; i4.
7. *1a*; 2c; 3b; 4g; 5h; 6d; 7f; 8e.

Parole crociate:

Capitolo 10. Luce e ombra

1. 1. Avere paura della propria **ombra**; 2. Tramare **nell'ombra**; 3. **Alla luce** dei fatti; 4. Diventare **l'ombra** di se stesso; 5. Venire **alla luce**; 6. **Alla luce** del sole; 7. Presentare qualcosa nella sua vera **luce**; 8. Zona **d'ombra**.
2. 1. Zona d'ombra; 2. Avere paura della

propria ombra; 3. Alla luce dei fatti; 4. Venire alla luce; 5. Alla luce del sole; 6. Tramare nell'ombra; 7. Diventare l'ombra di se stesso; 8. Presentare qualcosa nella sua vera luce.

3. avere paura della propria ombra.

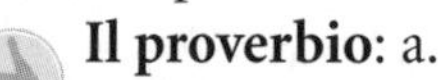
Il proverbio: a.

Parole crociate:

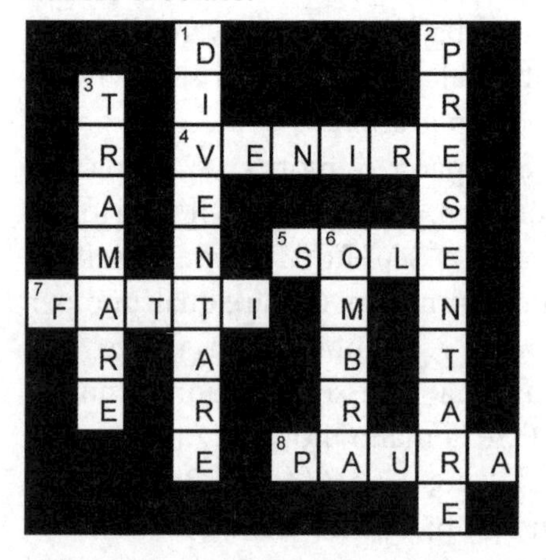

Capitolo 11. Le gerarchie

1. a. re; b. principe; c. serva; d. schiavo.

2. 1. re; 2. re; 3. serva; 4. schiavo; 5. principe; 6. serva.

3. 1. Essere il principe azzurro; 2. Essere più realista del re; 3. Essere amico di tutti e schiavo di nessuno; 4. Lavorare per il re di Prussia; 5. Fare il conto della serva; 6. Essere il figlio della serva.

4. allo, Presidente, per, della, monarchica.

5. 1. sono amico di tutti e schiavo di nessuno; 2. È il principe azzurro; 3. abbiamo lavorato per il re di Prussia; 4. faccio il conto della serva; 5. sono il figlio della serva.

6. *6, 2, 5, 1, 3, 4.*

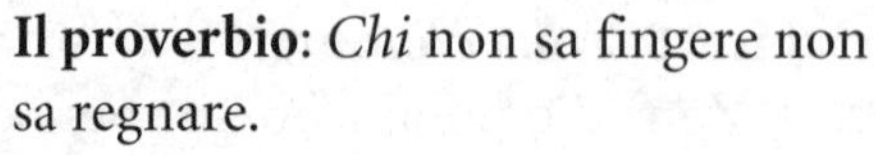
Il proverbio: *Chi* non sa fingere non sa regnare.

Parole crociate:

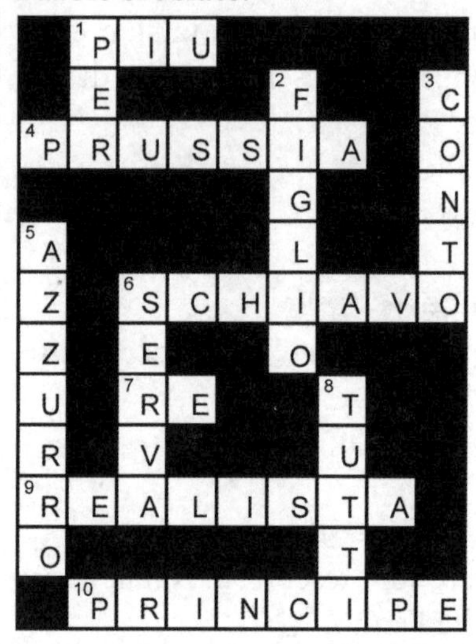

Capitolo 12. I giornali

1. a. *furbetti del quartierino*; b. mani pulite; c. compagni di merende; d. scendere in campo; e. repubblica delle banane; f. editto bulgaro.

2. 1. Compagni di merende; 2. Editto bulgaro; 3. *Avere le* mani pulite; 4. I furbetti del quartierino; 5. Repubblica delle banane; 6. Scendere in campo.

3. *È* un'espressione di rabbia e malcontento contro il governo responsabile di tutti i *mali*.

4. didascalia, vignetta, oppositori, Torino, una, satirica, mazziniani, sotto.

Parole crociate:

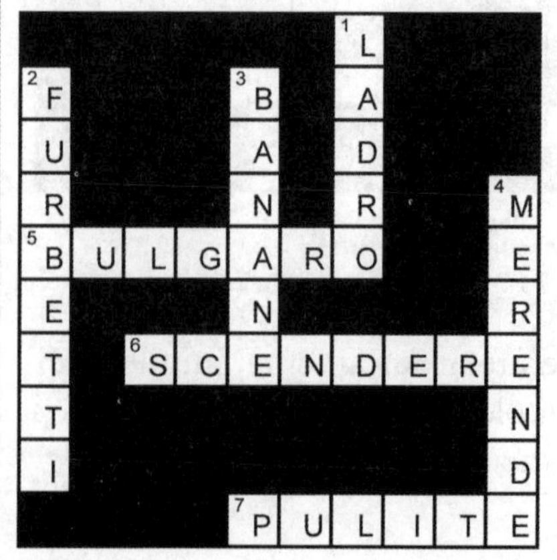

Capitolo 13. Cinema e pubblicità

1. 1. Attrazione fatale; 2. Ho visto cose che voi umani; 3. Febbre del sabato sera; 4. Faccio cose vedo gente; 5. Domani è un altro giorno; 6. È una cagata pazzesca.

2. 1. è una cagata pazzesca; 2. domani è un altro giorno; 3. attrazione fatale; 4. febbre del sabato sera; 5. ho visto cose che voi umani; 6. faccio cose vedo gente.

3. 1. c, b, a; 2. a, b, c; 3. b, a, c.

4. a. 3; b. 2; c. 1.

5. 1b; 2a; 3c.

Parole crociate:

Capitolo 14. Per finire... i numeri

1. 1. Contare come il due **di** briscola; 2. Fare un quarantotto; 3. Chi ha fatto trenta può fare trentuno; 4. Essere un pezzo **da** novanta; 5. Chi fa **da** sé fa **per** tre; 6. **In** quattro e quattr'otto.

2. a. chi ha fatto trenta può fare trentuno; b. fare un quarantotto; c. essere un pezzo da novanta; d. contare come il due di briscola.

3. Chi fa da sé fa per tre.

4. 1. Fare un quarantotto; 2. Contare come il due di briscola; 3. Chi fa da sé fa per tre; 4. Essere un pezzo da novanta; 5. Chi ha fatto trenta può fare trentuno; 6. In quattro e quattr'otto.

5. 1. chi fa da sé fa per tre; 2. facciamo un quarantotto; 3. fosse un pezzo da novanta; 4. conto come il due di briscola; 5. hai fatto trenta puoi fare trentuno; 6. in quattro e quattr'otto.

7. 1. Schiamazzare; 2. A cavalcioni; 3. Cricca.

I proverbi: 1. Non c'è due senza tre; 2. Uno per uno non fa male a nessuno.

Parole crociate:

Soluzioni